ABANDONED CHILD

버 림 받 은 아 이

**TO MY BELOVED
GRANDPARENTS**

AUTHOR

SOPHI PERICH

"

나의 할아버지, 이상종
나의 할머니, 박일금
두 분께 이 책을 바칩니다.

————

두 분의 이름을 제외한
모든 등장인물의 이름은 가명입니다.

"

1부

나는 　버림받은
아이였다.

부모에게 버림받은 아이
1. 나의 5살. 나는 버림받은 아이였다.

"할매가 니 똥 기저귀 갈아주면서 업어 키웠다. 커서 다 갚아라이!"

귀에 못이 박히도록 들어온 말.

큰 고모는 나만 보면 저렇게 말했다.

그랬다. 나는 부모에게 버림받은 아이였다.

경상남도 진주, 시내에서 버스로 거의 2시간이 걸리던 외딴 시골, 나는 그 시골집에서 태어났다. 할머니, 할아버지는 그곳에서 평생 농사를 지으며 살아왔고 결혼을 한 아빠도 엄마를 데려와 정착하려 했었다고 했다.

하지만 엄마는 첫돌이 갓 지난 나를 남겨두고 시장에 다녀오겠다며 나가서는 돌아오지 않았다.

어른들이 그랬다. 엄마는 나를 사랑하지도 않았고 일말의 정도 없었다고. 내가 태어나기 전에 딸이 하나 있었는데 그러니까 그 생물학적 언니가 2살인가 3살 때 물에 빠져 죽었다고 했다. 딸을 잃은 슬픔에 가슴이 찢어지던 그때 덜컥 나를 임신한 것이었다.

나를 놓고 제대로 안아주지도 않았다고 했다. 그러니 나도 엄마 따위 보고 싶어 하지 말라고, 어차피 나에게 정도 없던 여자였으니 인연 끊고 사는 게 더 나은 거라며 다들 그렇게 나를 위로했다.

엄마가 집을 나가고 아빠는 엄마를 찾아오겠다며 도시로 나간 뒤 간간이 돈이 필요할 때만 연락을 해올 뿐 시골집으로 돌아오지 않았다.

그렇게 나는 할머니, 할아버지 손에 키워졌다.

두 분은 매일 논으로, 밭으로 일을 나갔다. 아직도 생생히 기억난다. 한여름 뙤약볕 아래 깊이 허리를 숙여 논바닥의 잡초를 뽑아내던 두 분의 굽은 등이.

할아버지 지게 위에 앉아 논으로 가면 할머니는 논둑에 돗자리를 깔고 무지개색 우산을 씌워 주었다. 작은 나무토막으로 울타리를 만든 뒤 노끈으로 감아 내가 기어 나가거나 걸어 나가지 못하도록 했다.

할머니와 할아버지는 일을 하다가도 내 이름을 부르며 손을 흔들었다.

풀과 꽃잎을 뜯어 불어오는 바람에 날렸다. 줄지어 가는 개미를 유심히 살피기도 하고 풀잎 아래 달라붙은 무당벌레를 톡톡 건드려 보기도 했다. 돌멩이로 성을 쌓고 나뭇가지로 흙바닥에 그림을 그렸다.

날씨가 좋지 않을 때를 제외하곤 나는 늘 논 둑에 앉아 두 분의 일하는 모습을 지켜보았다.

그리고 늘 혼자서 놀았다.

다섯 대의 주사와 악몽, 그리고 뺑뺑이

2. 나의 6살. 나는 버림받은 아이였다.

6살, 가을에서 겨울로 접어드는 계절, 나는 많이 아팠다. 오른쪽 볼이 퉁퉁 부어오르고 온몸에 붉은 반점이 피어올랐다. 얼굴이 너무 부어 침도 제대로 삼키지 못했고 말도 하기 힘들었다. 며칠 지켜보던 할머니가 나를 데리고 병원에 갔다. 버스 정류장까지 30분 정도를 걸어가는데 어지러워 할머니 등에 업혀야만 했다.

버스를 타고 30분 걸려 도착한 작은 개인병원. 나이가 지긋한 의사는 내가 볼거리와 수두에 걸렸다며 주사 5대를 맞아야 한다고 했다. 주사가 뭔지 몰랐던 나는 그대로 의사에게 팔을 내주었다. 한대를 맞고 병원 바닥에 드러누웠다. 얼마나 울어 댔던지 간호사 언니와 할머니가 나를 양쪽에서 붙들어 잡아야만 했다. 그렇게 억지로 주사 4대를 더 맞았다. 정말 아파 죽는 줄 알았다.

집에 돌아와서 3일간 죽을 듯이 앓았다. 계속 열이 나서 의사가 처방해 준 해열제를 수시로 먹었지만 열은 잡히지 않았다. 할머니는 다시 병원에 가야 한다고 했다.

히터를 튼 버스 안에서 창문을 열었다. 숨쉬기가 힘들어 창문을 열어야만 했다. 버스에 타고 있던 동네 할머니들이 "아가 열이 많이 나는 갑네.", "얼마나 몸이 뜨거브믄 이 추운 날 창문을 다 여노."라며 안타까워했다. 병원에서 또 주사를 맞았다. 또 바닥에 드러누워 울었다. 의사는 다시 약을 처방해 주었다.

그 뒤 꼬박 일주일을 더 앓았다. 할머니는 내 등에 있는 화산 모양의 커다란 붉은 반점을 보며 이 최고 마마가 죽어야지 온몸에 핀 열꽃이 없어질 거라며 장롱 위에 깨끗한 생수를 올리고 매일 삼신할매에게 기도를 올렸다. 그리고 매일 밤, 내 옷을 전부 벗기고 온몸에 진득한 연고를 발라주었다. 추워서 이가 덜덜 떨렸지만 연고가 마를 때까지 참아야 했다.

매일 악몽을 꿨다. 빙글빙글 도는 뺑뺑이에 매달려 있던 나는 너무 빠른 속도를 이기지 못하고 손을 놓쳤다. 있는 힘을 다해 소리를 지르고 양팔을 허우적거렸지만 시커먼 절벽 아래로 끝도 없이 떨어져 내릴 뿐 바닥에 닿지는 않았다.

할머니는 나 때문에 밤새 한숨도 못 잤다며 불평을 하기도 했다.

서러웠다. 내가 아프고 싶어서 아픈 것도 아닌데... 악몽을 꾸고 싶어서 꾸는 것도 아닌데...

일주일이 지나자 오른쪽 볼의 붓기가 점점 줄어들고 할머니 말대로 등 뒤에 가장 큰 마마가 죽었다. 더 이상 악몽을 꾸지 않았지만 그 이후로 나는 뺑뺑이를 좋아하지 않게 되었다.

삼촌이라고 불러라

3. 나의 7살. 나는 버림받은 아이였다.

집을 나가 마산에서 살던 아빠가 시골집으로 돌아왔다. 아주 젊고 예쁜 언니와 함께 말이다. 지금 생각해 보면 그 언니는 겨우 갓 20살이 되었거나 20대 초반이었던 걸로 생각된다.

시골집 바로 옆에 할머니, 할아버지 소유의 빈집이 한 채 있었는데 그곳에서 두 사람이 살 것이라고 했다. 어린 마음에 오랜만에 집으로 돌아온 아빠가 너무도 반가웠다. 예쁜 언니도 함께 와서 나랑 놀아 줄 수 있겠구나 싶어서 너무도 설레었다. 아빠는 헤벌쭉 웃는 나를 집 옆의 골목으로 잡아끌었다. 삼촌이라고 부르라고 했다. 딸 있는 거 저 언니가 모르니까 절대 아빠라고 부르지 말라고 했다. 나는 고개를 끄덕였다.

두 사람은 빈집에서 살림을 차렸고 나는 매일 언니에게 놀러 갔다. 최선을 다해 아빠를 삼촌이라고 불렀다. 간간이 실수를 하기는 했지만 내 나름 최선을 다해 재빠르게 말을 번복해 위기를 모면하곤 했다.

언니는 참 순한 사람이었다. 검은 생머리를 길게 늘어뜨린 예쁜 언니는 내 머리도 땋아주었고 책도 읽어주었으며 밭에 나가 놀이를 하듯 밭일을 같이 하기도 했다.

우리 집도 그랬지만 언니와 아빠가 사는 집도 재래식 화장실에 부엌도 밖에 있었고 군불을 지피던 아주 오래된 집이었다. 욕실도 없었고 그냥 수돗가에서 어설프게 몸을 가린 채 목욕을 해야 하는데도 그 젊은 언니는 불평하지 않았다. 빈 집에 무성하게 솟아 오른 잡초를 뽑아내고 창호지가 다 떨어진 문에 새하얀 창호지를 다시 발랐으며 먼지가 진득하게 눌어붙은 대청마루를 하루에 열두 번도 넘게 닦곤 했다. 달가워하지 않는 걸 잘 알면서도 매일 저녁 할머니를 찾아와 식사 준비를 돕기도 했다.

나는 그 언니가 너무도 좋았다. 몇 주 동안 정말 천국이 있다면 이런 곳이지 않을까 싶은 생각이 들 정도로 행복했었다. 하지만 그 행복은 오래가지 않았다.

매일 저녁 식사 준비를 돕던 언니가 오지 않은 밤, 낮은 담장 너머 아빠의 고함소리가 들렸다. 물건 깨지는 소리와 퍽퍽 누군가를 때리는 소리, 그리고 언니의 비명 소리.

놀란 내가 마당에 내려서기도 전에 할아버지가 한달음에 옆집으로 달려갔다. 할아버지의 무서운 고함소리 뒤로 와장창 물건 깨지는

17

소리가 났다. 곧이어 아빠가 집을 나가는 듯했고 언니의 서러운 울음이 뒤를 이었다. 나에게 집에 있으라고 신신당부를 한 할머니가 옆집으로 건너갔다. 두 분은 밤이 늦도록 그 언니와 함께 있었다.

다음날 할머니와 할아버지가 어김없이 일을 나가고 아빠도 일을 나가는 듯했다. 할머니가 며칠은 옆집에 가지 말라고 했지만 너무 걱정이 된 나는 조심스럽게 언니를 찾았다.

얼굴에 멍이 든 언니가 방 안의 이부자리를 깨끗이 정리하고 나와 진주 시내로 나가는 버스 시간을 물었다. 시골이라 하루에 버스가 네 대밖에 없어서 어린 나이에도 기억하고 있었던 나는 언니에게 친절하게 말해주었다. 집에서 버스 정류장까지 30분 정도 걸어가야 한다는 것까지.

나를 끌어안은 언니가 미안하다고 아빠에게 말하지 말라고 했다. '아빠'에게 말하지 말라고 언니가 말했다. 이미 알고 있었다며 내 머리를 쓰다듬으며 말이다.

그날 언니는 그 초라한 집을 떠났고 나는 아빠에게 뺨을 맞았다. 나의 뺨을 때린 아빠는 할아버지에게 뺨을 맞았고 집에서 당장 나가라는 엄명을 들었다.

며칠 뒤 아빠도 시골집을 떠나 버렸다.

뱀장수와 복식이 아저씨가 건네준 고기

4. 나의 8살(_1). 나는 버림받은 아이였다.

뱀 장수 트럭 소리가 들렸다. 하도 시골이라 한 여름이 되면 거의 매해 뱀 장수가 우리 동네를 찾았다. 어쩌면 흑인들의 피부색이 저렇게 검지 않을까 싶을 정도로 새까맣게 그을린 피부에 덥수룩하게 머리를 기른 젊은 사내는 내 나이 또래의 아들과 함께 뱀을 잡으러 다녔었다.

파란 트럭에서 뛰어내린 소년이 나를 보더니 삐딱한 미소를 지었다. 저도 나를 기억하는 듯했다. 작년보다 더 새까매진 소년은 꼭 닭살이 인 것처럼 피부가 온통 우둘투둘했다.

집 앞의 커다란 정자나무 앞에 앉아 흙바닥에 그림을 그리고 놀던 내게 그 아이는 재미있는 걸 보여주겠다며 트럭 뒤쪽으로 이끌었다. 트럭 뒤엔 뱀이 든 그물 망이 가득했다. 소년은 꿈틀거리는 뱀이 든 커다란 망 하나를 손으로 들더니 내 눈앞으로 가져왔다. 겁이 난 내가 뒤로 한걸음 물러서자 소년은 무섭지 않다며 만져봐도 된다고 했다. 나는 고개를 좌우로 흔들며 괜찮다고 했다.

남자는 나와 이야기를 나누는 소년을 못마땅하게 쳐다보며 빨리 차에 타라고 했다. 소년은 들고 있던 망을 트럭 뒤에 아무렇게나 던져 버리곤 곧장 차에 올랐다. 그들은 깊은 숲속으로 더 들어가는 듯했다.

그날 저녁 소여물을 주고 집으로 돌아오는데 개울가 옆의 편평한 바위 위에서 뒷집에 사는 아저씨가 고기를 구워 먹고 있는 게 보였다.

동네 사람들은 아저씨를 '복식이'라고 불렀고, 나를 포함해 몇 안 되던 아이들은 모두 '복식이 아저씨'라고 불렀다. 아저씨는 젊었을 때 앓았던 열병의 후유증으로 말을 못 하게 되었다고 했다. 늘 "어... 어... 어... 어..." 하던 아저씨는 명확하게 발음할 수 있는 단어가 몇 개 있었는데 내 이름이 그중에 하나였다. 나를 볼 때면 항상 "소희 왔 소?"라고 말하며 내 머리를 쓰다듬어 주곤 했다.

아저씨의 집이 우리 집 뒷밭, 낮은 담장 바로 뒤쪽이라 할머니가 자주 음식을 나누어 주었는데 그 심부름을 거의 내가 했기에 나를 볼 때마다 반가워했는지도 모르겠다.

고기 굽는 냄새에 이끌려 한달음에 복식이 아저씨를 향해 뛰어갔 다. 아저씨는 어김없이 "소희 왔소?"라며 활짝 웃더니 뜨거운 석쇠 에서 작은 고기 조각을 하나 꺼내 주었다. 날름 받아먹었는데 너무 뜨거워 맛이 어떤지 식감이 어떤지 그런 걸 느낄 겨를도 없었다.

하나 더 받아먹어 볼까 하며 앉아 있는데 개울 위쪽에서 할머니가 요란스럽게 나를 불렀다. 바로 뛰어 올라가니 할머니는 내 등을 찰싹 때리며 아무거나 주는 걸 받아먹으면 어떡하냐고 혼을 냈다. 그리곤 복식이 아저씨를 향해 "아한테 뭐 한다꼬 그런 걸 주노!!"라며 화를 내더니 내 손을 잡아끌었다.

할머니는 내가 먹은 게 뱀 고기라며 토할 수 있으면 토하라고 했다. 저녁 내내 어떻게 하면 토를 할 수 있을까 헛구역질도 해보았지만 토하지는 못했다.

부모 없이 커서 버르장머리가 없네

5. 나의 8살(_2). 나는 버림받은 아이였다.

여름의 끝자락, 아빠가 짙은 화장을 한 이상한 여자와 시골집을 찾았다. 불만이 가득한 눈빛으로 집안 구석구석을 훑어본 여자는 그녀가 입고 있던 몸에 딱 달라붙는 원피스를 신기하게 쳐다보는 나를 매섭게 노려보았다.

양복을 빼입은 아빠가 주변을 맴도는 나를 향해 고함을 질렀다.

"부모 없이 커서 버르장머리가 없네! 손님이 왔으므 뭐라도 대접을 해야 할 거 아이가!!"

아빠의 말이 채 끝나기도 전에 사랑채에 있던 할아버지가 거칠게 문을 열며 소리쳤다.

"쓸데없이 왜 또 왔노!! 더 이상 니한테 줄 돈 없다!!"

뭐라고 혼잣말로 구시렁거리던 아빠가 사랑채 안으로 들어갔고 점심 상을 준비한 할머니가 그 뒤를 따랐다. 대청마루에 처음 보는 이상한 여자와 같이 있기 싫어서 나도 사랑채로 갔다.

아빠는 할아버지 앞에 무릎을 꿇고 앉았다. 땅을 담보로 사업에 필요한 돈을 은행에서 빌리고 싶으니 인감도장을 달라고 했다.

할아버지의 고함소리가 쩌렁쩌렁 울리고 밥상이 엎어졌다. 그 자리에서 아빠는 쫓겨났고 할머니는 방바닥에 쏟아진 음식을 주워 담았다.

얼굴이 벌겋게 달아오른 할아버지가 내게 막걸리 한 병을 가져 오라고 했다. 얼른 사랑채를 나와 마당을 가로질렀다. 대청마루 위에 있던 냉장고에서 막걸리 한 병과 찬장에서 막걸리 잔을 꺼내 다시 마당을 가로질러 가려는데 대문가에 서 있던 아빠가 나를 불렀다.

슬쩍 다가가자 옆에 서 있던 여자가 나한테서 무슨 냄새가 난다는 듯 오만상을 찡그리며 뒤로 한걸음 물러섰다. 아빠는 할아버지 인감 도장이 어디 있냐고 물었다. 할아버지 인감도장이 어디 있는지 모르기도 했고 알고 있다고 해도 말을 하면 안 될 것 같았다.

아무런 대답도 없는 내게, 어른이 묻는데 버르장머리 없이 대답을 안 한다며 소리를 꽥 질렀다. 부모 없이 자란 티가 이런 데서 난다며 나를 향해 손을 들어 올리려는데 할아버지와 할머니가 맨발로 뛰어 나왔다. 아빠와 여자는 그대로 시골집에서 쫓겨났다.

할아버지의 인감도장과 별똥별
6. 나의 8살(_3). 나는 버림받은 아이였다.

가을 추수가 시작되고 할머니, 할아버지는 매일 눈코 뜰 새 없이 바빴다. 학교에서 돌아오면 나도 할머니를 도와서 햇볕에 말려 놓은 붉은 고추를 뒤집고 콩과 깨를 털었다. 두 분이 너무 바빠 밤늦게까지 논에서 내려오지 못하는 날은 여물을 쒀서 소 두 마리에게 먹이기도 했다.

마을 어른들은 일이 바쁜 봄, 가을엔 품앗이로 서로의 일을 도왔었는데 그날은 온 동네 사람들이 우리 집의 추수를 돕는 날이었다.

일요일이라 나도 어른들을 따라 집에서 한참 떨어진 골짜기에 있던 논으로 향했다. 할아버지들이 낫으로 벤 벼를 바닥에 내려놓으면 할머니들이 뒤따르며 탈곡기에 들어가기 적당한 양만큼 모아 볏단으로 묶었다. 나는 할머니들이 볏단으로 묶기 쉽게 벼를 모아주는 일을 했다.

오전 일을 끝내고 모두 논두렁에 둘러앉아 점심을 먹었다. 두툼한 보쌈에 커다란 김치를 올려서 야무지게 쌈을 싸먹고 시원한 콜라를 마셨다. 동네 어른들은 시원한 계곡물에 담가 놓은 막걸리를 마시곤 기분이 좋은지 목청을 높여 노래를 불렀다.

늦은 오후가 되어서야 일이 끝났다. 집으로 돌아오자마자 할머니는 바로 저녁식사 준비를 했고 할아버지는 소에게 줄 여물을 쒔다.

여물을 뒤적이다 담배가 떨어졌다며 사랑채 문을 연 할아버지가 고함을 내질렀다. 놀란 할머니와 나는, 신발도 벗지 않고 사랑채로 들어서는 할아버지의 뒤를 따랐다. 방이 엉망으로 어질러져 있었다. 장롱에 들어있던 이불이며 옷가지들이 방바닥에 아무렇게나 널브러져 있었고 서랍도 제멋대로 나뒹굴고 있었다.

옷장 안쪽의 깊숙한 곳을 뒤지던 할아버지가 바닥에 주저 앉았다.

할아버지의 인감도장이 없어졌다.

할머니도 그대로 주저앉아 바닥을 쳤다.

그 해 겨울 독촉장을 받았다.

수입 거리가 전혀 없는 겨울, 할머니는 마산역 옆에 있던 큰 시장에 거의 매주 쌀을 가져가서 팔았다. 할아버지는 두터운 굳은살이 진 손바닥에서 피가 날 정도로 새끼줄을 꼬았다. 그걸로 무언가를 만들어서 팔았던 것 같은데 잘 기억나지는 않는다.

우리 세 식구가 다음 해 추수 때까지 먹을 쌀도 부족할 지경이 되자 할머니와 할아버지는 결국 소 두 마리 중 한 마리를 팔기로 했다.

농촌에서 가장 큰 재산이 땅과 소다. 땅을 지키기 위해 두 번째로 큰 재산을 팔아야 했다.

지독하게 가난했다.
그 가난 속에서 두 분은 처절하게 버티고 버텼다.

종종 마산역에 쌀을 팔러 가던 할머니를 따라갔었다.
새벽 5시, 온몸이 덜덜 떨리는 추운 겨울. 버스를 기다리며 올려다본 새까만 새벽하늘엔 비현실적일 정도로 많은 별들이 떠있었다. 눈을 깜빡일 때마다 떨어지는 별똥별에 나는 두 손을 모아 빌었다.

할머니, 할아버지가 오래오래 건강하게 해달라고.

우리 손녀딸은 못하는 게 하나도 없네

7. 나의 9살(_1). 나는 버림받은 아이였다.

시골은 봄과 가을이 제일 바쁘다. 봄엔 논에 거름을 뿌려 며칠 방치해 두었다가 물을 대고 땅 갈이를 해 흙을 한번 뒤집어엎어줘야 한다. 그렇게 땅을 준비시킨 뒤 모내기를 하고 나면 여름은 온통 물과의 전쟁이다. 매일같이 논에 물이 마르지 않았는지 살펴야 하고 조금이라도 말랐다 싶으면 강물을 끌어와 물을 대줘야 했기에 이웃 간의 싸움도 곧잘 일어난다. 여름 장마가 시작되면 그건 그것대로 고역이다. 세찬 바람에 허리만큼 자라난 벼들이 힘없이 바닥으로 쓰러지면 다른 방법이 없다. 쏟아지는 비를 맞으며 쓰러진 벼를 삼각형 모양으로 묶어세워서 다시 쓰러지지 않도록 해주는 수밖에.

여름 내내 영글고 알이 찬 벼들이 노랗게 고개를 숙이면 가을의 수확이 시작된다. 당시만 해도 일일이 낫으로 벼를 베고 탈곡도 볏단을 하나하나 반듯하게 펴서 탈곡기에 밀어 넣어서 했으며 나락 까는 기계도 손으로 돌려가며 일일이 다 했다.

까끌까끌한 껍질 때문에 온몸을 벅벅 긁으면서도 잠시도 쉴 틈이 없었다. 이 모든 것을 할머니와 할아버지는 자신들의 손으로 전부 다 했었다.

어느새 겨울이 끝나고 부산스러운 봄이 시작되었다. 할아버지는 그날도 아침 일찍 마구간에서 소를 끌고 나왔다. 할머니는 뒷밭에 채소 모종을 심어야 한다고 했다.

나는 소 쟁기를 들고 논으로 가는 할아버지의 뒤를 따랐다. 찰랑찰랑 물이 담긴 논에 도착하자 할아버지는 허벅지까지 오는 노란색 고무장화를 바짝 올려 신었다.

이랴이랴, 오전 내내 논갈이를 했다. 나는 논두렁에 무너진 흙이 없는지, 물이 새는 곳이 없는지 살폈다. 둑이 무너진 곳엔 논바닥에서 찰흙 같은 흙을 끌어와 단단히 쌓아 올려 물이 빠져나가지 못하도록 했다. 흙에서 진한 소똥 냄새가 났다.

점심시간, 할머니가 식사를 머리에 이고 논으로 왔다. 개울에서 손을 씻고 오자 계란을 푼 육수에 하얀 국수 면을 넣고 들기름에 고소하게 볶은 애호박과 김치를 올려서 건네주었다. 할아버지는 싱겁다며 양념장을 더 넣었지만 나는 그대로가 좋았다. 들기름이 둥둥 뜬 감칠맛 나는 국물과 고소한 국수 면이 기가 막히게 맛있었다.

국수 한 그릇을 금세 비운 할아버지는 앉은 자리에서 막걸리 한 병

을 모두 마셨다. 할머니와 나는 집에서 미리 타온 달짝지근한 미숫
가루를 나누어 마셨다.

술에 취한 할아버지는 오후 내내 소 쟁기를 끌며 노래를 흥얼거렸
다.

물에 젖어 질퍽거리는 땅이 쟁기 끝에서 양쪽으로 갈라져 뒤집히
는 것이 봐도 봐도 신기해 내가 한번 해보고 싶다고 했다. 할아버지는
지게에 여분으로 있던 노란 고무장화를 내 다리에 신겨 주었다. 미
끄덩거리는 논바닥의 감촉이 썩 좋지는 않았다.

힘이 없어 쟁기를 땅 속으로 밀어 넣기는커녕 똑바로 잡고 있는 것
도 힘들어 표면만 긁어 대며 앞으로 나아가는데도 할아버지는 크게
신경 쓰지 않는 듯했다.

내 옆에서 한 손으로 쟁기를 잡아주며 할아버지가 그랬다.

잘한다고, 우리 손녀딸은 못하는 게 하나도 없다고, 너무 잘해서
할아버지가 더 할 일이 없다고.

그렇게 할아버지가 말해주었다.

나의 강아지, 누렁이 캐리

8. 나의 9살(_2). 나는 버림받은 아이였다.

누렁이 한 마리가 있었다. 이름은 '캐리'.

마당에 묶여있던 캐리는 나를 무척이나 잘 따랐다. 줄을 풀어 줄 때면 마음대로 뛰어놀 수 있음에 흥분을 감추지 못하고 뒷밭과 앞마당을 신나게 뛰어다녔던 캐리, 늘 뒷밭 구석에서 얌전히 볼일을 보고 돌아왔던 영리했던 캐리, 학교에서 돌아오면 미친 듯이 내 얼굴을 핥아대던 너무도 사랑스러웠던 캐리.

한날 학교에서 돌아오니 캐리가 알 수 없는 트럭에 실려 있었다. 불안감이 인 나는 트럭에 매달려 캐리를 어디로 데려가냐며, 우리 캐리 당장 내놓으라며 울며 불며 소리쳤다.

창살에 매달려 어떻게든 문을 열어보려 했으나 열리지 않았다. 캐리가 나를 보고 울고 있었다.

할머니가 개 장수에게 5만 원을 받았다.

할머니 손에 붙들려 트럭에서 떨어져 나온 나는 안간힘을 쓰며 발버둥 쳤지만 소용없었다. 개 장수의 트럭이 그렇게 멀어져 갔다.

그날 밤 저녁 내내 마당에 주저앉아 울었다. 내가 조금 더 매달렸어야 했는데... 조금 더 떼를 쓰며 팔지 말라고 했어야 했는데... 싫어 한참을 그렇게 울었다.

그 이후로 할머니와 할아버지는 더 이상 개를 사지 않았다.

————

30년이 지난 지금도 캐리 생각이 난다. 예고 없이 그 아이 생각이 나면 아직도 눈물이 난다.

너무나 가난했던, 아빠가 진 빚과 이자에 허덕이던 할머니, 할아버지가 시골에서 돈을 벌 수 있는 방법을 고심하다 찾아낸 방법이었을 것이다.

고작 두 살쯤 되었을까...

그 아이가 떠오를 때마다 그때 지켜주지 못해서 미안하다고 백 번이고 천 번이고 사과를 했지만 소용이 없었다.

정말 예쁘고, 착하고, 똑똑하고, 영리하고, 순했던... 나의 강아지, 캐리. 아직도 캐리를 생각하면 잔인한 죄책감에 눈물이 난다.

우리 미정이도 교복을 입혀 놨으면 참 예뻤을 낀데
9. 나의 9살(_3). 나는 버림받은 아이였다.

같은 동네에 살았던 친구 연서와 우리보다 한 학년 아래였던 여자
아이 미정, 남자아이 광수, 그리고 나, 이렇게 우리 넷은 매일 아침 한
시간 정도를 걸어서 학교에 갔다.

버스는 오전 5시 반, 오후 12시와 5시, 그리고 밤 9시 반, 하루에
딱 네 번 있었는데 밤 9시 반에 들어온 버스는 다음날 새벽 첫차 시
간에 맞춰 진주 시내로 나갔다. 우리가 학교에 갈 시간에는 아예 버
스가 없었을 뿐 아니라 20채 남짓한 동네에 차가 있는 집도 없었기
에 우리는 매일 왕복 두 시간을 걸어 다녀야만 했다.

짙어진 봄 내음을 맡으며 산길을 따라 내려갔다. 알록달록 작은 나

비들이 들꽃 위를 날고 예쁜 새소리가 산들바람에 실려왔다.

이제 막 올라오는 쑥을 만지작거리던 연서가 나중에 학교 마치고 집에 오면 쑥을 캐러 가자고 했다. 나는 그러자고 했고 미정과 광수에게도 같이 가자고 했다. 광수는 남자아이라 그런지 쑥 캐는 게 재미없다며 거절했고 미정이는 같이 가고 싶은데 쪼그려 앉는 게 안돼서 못 갈 것 같다고 했다.

일주일쯤 되었을까. 미정이의 배가 점점 불러오더니 이제는 양팔을 앞으로 뻗어 둘러 잡기 힘들 정도로 불러있었다. 너무 많이 먹어서 그런 거 아니냐고 했지만 미정이는 토가 나올 것만 같아 밥을 잘 못 먹는다고 했다.

오줌을 오랫동안 안 눠서 그런 것 같다며 화장실에 앉아서 오랫동안 오줌을 누라고 광수가 제안했지만 그녀는 오줌이 마렵지 않다고 했다. 그래도 억지로 오줌을 눠야 배가 꺼질 거라며 광수는 심각한 얼굴로 재차 강조했다.

온몸이 노랗게 뜬 미정이가 또 목덜미를 벅벅 긁었다. 하도 긁어서 피가 나는데도 너무 가렵다며 미친듯이 긁어 댔다. 우리는 피부가 노랗게 변한 건 단무지를 많이 먹어서 그런 거라며 절대로 단무지를 먹지 말라고 했지만 미정이는 단무지를 먹은 적이 없다고 했다.

미정이의 아빠는 좋은 사람이었지만 그녀의 엄마는 동네에 있는 모든 사람에게 시비를 걸고 싸움을 거는 고약한 사람이었다. 미정이와 함께 놀고 있으면 그녀의 엄마는 미정이가 집안일을 돕지 않는다며 불같이 화를 냈고 자주 그녀를 때리기도 했다. 우리도 미정이의 엄마가 무서웠기에 점차 같이 노는 시간이 줄어들 수밖에 없었고 종내는 그녀를 빼고 우리 셋만 모여서 노는 경우가 허다했다.

미정이의 상태가 갈수록 나빠져 진주 시내에 있는 병원에 입원했다. 일주일쯤 뒤, 그녀의 아빠는 혼자 집으로 돌아왔다.

미정이는 간암으로 9살에 죽었다.

지능이 낮은 그녀의 엄마가 아이들이 어릴 때 맞았어야 하는 예방접종을 하나도 맞히지 않아서 그렇게 된 거라며 동네 할머니들은 혀를 끌끌 찼다.

한 해 학교를 일찍 들어간 나는 원칙적으로는 미정이와 동갑이었다. 미정이가 떠나고 난 뒤 그녀의 아빠는 나를 볼 때마다 울었다. 특히 중학교, 고등학교 교복을 입은 내 모습을 보며 유난히도 서럽게 울었다.

"우리 미정이도 교복을 입혀 놨으면 참 예뻤을 낀데... 내가 니를 볼 때마다 미정이가 보고 싶어서 눈물이 난다."라고 말하며.

───

미정이의 엄마는 유난히도 새까맣던 그녀의 머리카락을 바가지 모양으로 아무렇게 잘라주었다. 쥐 파먹은 것처럼 늘 짧은 머리를 하고 있던 미정이는 길게 양 갈래로 땋아 내린 내 머리카락과 알록달록한 머리핀이 예쁘다고, 부럽다고 말하곤 했다.

항상 주눅이 든 얼굴로 눈치를 보던 미정이의 얼굴이 이제는 기억나지 않는다. 그저 새까만 바가지 머리와 늘 움츠려 있던 작은 어깨만 기억이 날뿐.

나이가 들면서 그녀에게 일어났던 일들을 바라보는 관점이 변해 갔다. 그저 안타깝고 안 됐다고만 생각했던 미정이의 죽음은, 슬픔을 지나 일종의 분노로 변한지 오래되었다.

아주 짧은 생을 살았던 미정이에게도 행복했던 순간이 있었을까. 여자아이로 태어났다고 늘 엄마에게 구박받던 미정이가 남자아이로 태어났었다면, 그랬다면 그녀는 그렇게 죽지 않았을까.

포클레인 버킷 안에서 바라본 석양

10. 나의 10살(_1). 나는 버림받은 아이였다.

그해 봄, 작은 동네가 유난히도 북적거렸다. 구불거리던 논의 가장자리를 네모 반듯하게 만드는 경지정리를 진행하기로 하면서 여러 대의 포클레인과 일꾼들이 동네를 찾았기 때문이었다. 내가 열 살 때쯤이었던 걸로 기억하는데 솔직히 정확한 연도는 기억나지 않고 경지정리 때문에 한 두해 농사를 쉬었던 것도 같은데 그것도 확실하지 않다.

당시 내가 살던 동네는 진주시에 포함되어 있지 않았고 지금은 없어진 진양군 소속이었다. 군(郡)에서 농사를 쉬는 만큼 각 가정에 돈을 지급했지만 턱없이 적은 돈에 동네 어른들의 불만이 이만저만이 아니었다. 더 큰 문제는 네모 반듯하게 정리된 논에서 기계를 이용해 효율적으로 모내기를 하고 추수를 할 목적으로 경지정리를 추진했으면서 뒤집어엎은 땅속에서 나온 어마어마한 양의 돌은 농민들이 알아서 치우라는 듯 나 몰라라 한 것이었다. 돌을 치워주는 일꾼들이 있기는 했지만 보이는 곳의 큰 돌 몇 개만 치워주기만 할 뿐 별 도움이 되지 않았다. 돌이 있으면 손으로 모내기를 하는 것도 불가능한데 기계로 어떻게 농사를 지으라는 거냐며 어른들은 아무 죄도 없는 일꾼들을 몰아붙이기도 했다.

땅은 헤집어지고 돌은 쌓여가는데 뾰족한 계획이 없던 군(郡)을 믿고 무작정 기다릴 수가 없었다. 농사를 지어야 하니 힘들어도 돌을 걸러내는 수밖에. 산골짜기 구석까지 계단 형태의 논을 가지고 있었던 할머니와 할아버지도 포클레인과 일꾼들이 아무렇게나 헤집어 놓은 논에서 커다란 돌을 걸러내느라 하루 종일 일을 해야만 했다. 사방에 흩어져 있던 커다란 돌멩이를 소쿠리에 담아서 산비탈 아래로 끝도 없이 굴려 보내고 갈고리로 잔 돌을 걸러내고 솎아냈다. 쉼 없는 중노동에 두 분의 허리가 심각할 정도로 굽어 들었다.

할머니는 그 이후 늘 입버릇처럼 말했다. 경지정리 때문에 골병이 들었다고. 진양군에서는 제대로 돈도 주지 않고 농민들을 노예처럼 부려먹은 거라고.

고작 10살이었던 나는 그런 속사정까지 알지 못했다. 그저 동네를 찾은 낯선 사람들에 신이 났고 처음으로 보는 포클레인이 신기할 뿐이었다.

나와 연서, 그리고 광수는 학교에서 돌아오면 매일 포클레인이 있는 곳으로 놀러 갔었는데 20대 초반으로 보였던 포클레인 기사 아저씨는 우리가 놀러 와서 구경하는 것을 무척이나 좋아했다.

그날도 학교를 마치고 바로 논으로 뛰어갔다. 마침 우리 논에서 작업을 하고 있던 아저씨는 우리가 도착하자 기다리고 있었다는 듯 주머니에서 사탕을 꺼내 주었다. 사탕을 입에 물고 논둑에 앉으니 아저씨는 보란 듯이 포클레인 버킷으로 가뿐하게 흙을 퍼올려 반대쪽으로 옮겼다. 연서와 나는 흙이 옮겨질 때마다 "우와-!" 하며 함성을 내질렀고 광수는 자리에서 일어나 박수를 치기도 했다.

할 일이 산더미인데도 아저씨는 우리의 환호가 재미있는지 쉬지 않고 장난을 쳤는데, 국자 모양의 버킷을 아래로 향하게 해 우리를 그 속에 가두기라도 하겠다는 듯 머리 바로 위에까지 내려오기도 했고 광수가 톱니바퀴처럼 생긴 버킷의 끝에 매달리면 광수를 내 머리 높이만큼 들어 올려주기도 했다. 특히나 논가에 앉아있는 우리 셋의 머리 위로 보드라운 흙을 퍼서 흩뿌리고는 자지러지게 웃어 대는 우리를 보며 그 아저씨도 참 많이 웃었다.

일이 마무리될 때쯤 아저씨가 버킷 앞에 그물망을 달며 들어가 앉으라고 했다. 우리 셋은 그 순간을 목을 빼고 기다리고 있었기에 환호성을 지르며 앞다투어 버킷 안으로 들어갔다. 그물망을 단단히 고정한 아저씨가 포클레인 안으로 들어가 버튼을 눌러 이것저것 조종하자 버킷이 위아래로 움직이기 시작했다. 공중으로 붕 떴다가 빠르게 아래로 내려가고 좌우 양옆으로 몸이 휩쓸리며 흔들렸다. 우리 셋은 함성을 지르며 자지러지게 웃었다.

한번 태워준 아저씨가 버킷을 땅으로 내리자 우리는 양발을 동동

구르며 소리쳤다.

"한 번만 더요! 한 번만 더요~!"

아저씨가 포클레인 밖으로 얼굴을 내밀며 말했다.

"아~ 안되는데~ 집에 가야 되는데~"

"아~! 아저씨~~~ 한 번만 더요~ 네? 네??"

껄껄 웃으며 괜히 뭉그적거리던 아저씨가 다시 버킷을 들어 올려 더 빠르게 좌우 사방으로 움직여 주었다.

늦은 오후의 포근한 들판 위로 우리 셋의 함성과 웃음소리가 퍼져 나갔다. 그렇게 서너 번을 태워준 아저씨가 버킷을 내리고 앞에 묶여 있던 그물망을 풀어준 뒤 머리 위에 엉망으로 묻어 있는 흙을 털어 주었다.

"내일도 태워줄 테니까 또 놀러 온나이! 아저씨가 내일은 과자 줄게, 알긋제?"

"예!! 아저씨! 감사합니다!!"

지금 이런 일이 일어난다면 아저씨는 안전 문제로 큰 곤란을 겪었을 것이다. 하지만 놀이동산은커녕 놀이 기구도 한번 타보지 못한 우리 셋에겐 아저씨의 포클레인이 최고의 놀이 기구였고 눈곱만큼도 위험하다는 생각은 들지 않았다. 그만큼 아저씨를 믿고 있었기 때문이었다.

───

어떤 기억들은 그날의 온도와 습도, 공기 중에 스며 있던 냄새와 바람의 온기까지 전부 느껴질 정도로 선명한 것들이 있는데 이 기억이 그중의 하나이다.

머리 위로 떨어지던 보드라운 흙의 감촉과 늦은 오후 특유의 아늑함, 버킷 안에 나란히 어깨를 붙이고 앉아있던 우리 셋의 기대에 찬 함성과 포클레인 너머 붉게 타오르던 석양.

아이들을 무척이나 좋아했던, 아무것도 없는 시골에서 평생을 가도 잊지 못할 행복한 기억을 안겨준 아저씨의 환하게 웃던 얼굴과 웃음소리, 그 모든 것이 영화의 한 장면처럼 아직도 또렷이 기억난다.

짜장면과 우동, 두 그릇에 고작 오천 원 남짓
11. 나의 10살(_2). 나는 버림받은 아이였다.

마산역 새벽 시장에 쌀을 팔러 갔던 할머니가 버스를 타고 아빠의 가게를 찾았다. 인감도장을 가지고 사라졌던 아빠와 언제, 어떻게 다시 연락이 닿았는지 나는 알지 못했지만 할머니는 아빠의 가게를 몇 번 와본 듯 가는 길을 정확히 알고 있었다.

갑자기 나를 끌고 나타난 할머니를 본 아빠가 정색을 하며 대뜸 소리를 질렀다.

"연락도 없이 만다꼬 또 왔소? 요가 오데 오고 싶을 때 허락도 없이 마음대로 와도 되는덴 줄 아소? 미리 연락을 주든가!!"

할머니는 내 손을 잡아끌고 조잡한 가게 안으로 들어섰다.

시장 구석에 있던 아빠의 가게는 나무로 된 좌판을 바닥에 깔아놓고 별의별 걸 다 팔고 있었다. 땅을 담보로 그 많은 돈을 빌려 가서 차린 것치고는 초라하기 짝이 없는 가게였다.

"와? 내가 못 올 데 왔나? 이기 니끼가? 이 가게도, 붙어 있는 집도 전부 다 내하고 니 아부지 돈으로 샀는데! 우째서 이기 니끼고?"

"씨발, 무슨 말도 안 되는 소리를 하능교!!"

두 사람의 실랑이에 방 안에 있던 여자가 밖으로 나왔다. 가게와 전혀 어울리지 않는 화려한 색감의 옷을 입은 여자는 할머니에게 꾸벅 인사를 하곤 옆에 서 있던 나를 위아래로 훑었다.

할머니는 과하게 큰 침대 때문에 방안에 제대로 앉을 자리도 없는 것을 확인하곤 가게 안에 있던 작은 테이블 앞에 털썩 주저앉았다.

"니가 진 빚 때문에 역전에 가서 또 쌀팔고 왔다. 2시 기차 때까지 시간 있응께 중국집에서 점심 시키바라. 소희는 짜장면, 내는 우동."

아빠가 신경질적으로 혀를 찼다.

"역에 가서 사 묵고 가소!"

"시키라! 내가 그 정도도 니한테 못 얻어 묵나? 니가 내팽개친 딸내미도 내하고 니 아부지가 키우고, 니가 진 빚도 우리가 다 갚고 있는데 내가 니한테 점심 한 끼도 못 얻어 묵냐 이 말이다!!"

옆에 선 여자의 눈치를 보던 아빠가 버럭 소리를 질렀다.

"내가 딸이 오데 있다고 그라요? 저거는 내 조카지. 오데서 내 딸이라 카요?"

"조카라꼬? 소희가 니 조카라꼬? 그기 지금 말이가, 방구가? 딸내미가 듣는 데서 그기 지금 할 말이가!!!"

"이 할마시가 노망이 났나!!"

"그래, 좋다! 그라모 니 애미랑 조카한테 점심 한 번 사바라. 불쌍한 니 애미하고 니 조카한테 점심 한번 사바라 이 말이다!!!"

할머니는 작정을 한 듯 테이블을 손바닥으로 쳐가며 가게 안이 쩌렁 쩌렁 울리도록 고함을 질렀다. 아빠는 입에도 담기 힘든 험한 욕을 하며 가게 밖으로 나가버렸고 어물쩍대던 여자도 아빠를 따라 밖으로 나갔다.

한 시간 넘게 그곳에 앉아 있었다. 아빠는 몇 번 가게 안으로 들어와 빨리 가라며 재촉을 했고 나중에는 할머니를 살살 구슬리기까지 했다. 옆에서 한숨을 내쉬던 여자는 다시 방으로 들어간 뒤 아예 밖으로 나오지 않았다. 나는 고개를 숙이고 할머니 옆에 가만히 앉아 있었다.

끝내 아빠는 짜장면과 우동을 사주지 않았다.

기차 시간이 다가오자 할머니는 내 손을 잡고 역전의 중국집으로 향했다. 짜장면과 우동을 시켰다. 우동을 먹으면서 손을 떨던 할머니는 집으로 돌아오는 기차 안에서 아무런 말을 하지 않았다. 아빠와 엄마가 버린 손녀딸을 어쩔 수 없이 키우는 건지도 모른다는 생각에 눈치가 보였던 나도 아무런 말을 하지 않았다.

짜장면과 우동, 두 그릇에 고작 오천 원 남짓.

아빠는 그때 오천 원도 없었던 것일까.

아니면 그 오천 원이 아까웠던 것일까.

스님이 주신 천도복숭아와 만화책

12. 나의 11살(_1). 나는 버림받은 아이였다.

"소희야~ 노올자~"

친구 연서였다. 일요일 아침이면 걸어서 편도로 한 시간 반 정도 걸리던 절에 같이 놀러 가곤 했는데 그날 절에 가기로 한 것이다.

매미소리가 가득한 비탈진 산길을 오르며 앵두도 따먹고 산딸기도 따먹고 노래도 불렀다.

작은 암자엔 주지 스님과 그 밑에 스님 두 명, 그리고 주방 일을 하던 보살님이 살고 있었다. 그중에서 궂은일은 전부 도맡아서 하던 스님이 한 명 있었는데 그 스님이 특히나 우리를 좋아했었다.

스님은 우리가 가면 시야가 탁 트인 정자 위에 올라가 있으라고 하곤 귀하고 좋은 과일이나 약과 같은 간식을 가져다 주곤 했다.

그날은 색이 고운 분홍빛의 천도복숭아를 가져다주었다. 나는 한 번도 천도복숭아를 먹어본 적 없었기에 어떻게 먹는지 몰라 어물쩍댔다. 연서는 지난 설에 고모가 사줘서 먹어봤다며 생색을 내듯 말캉거리는 껍질을 벗겨내고 단물이 뚝뚝 떨어지는 복숭아를 한입에 베어 물었다. 나도 연서를 따라 껍질을 벗기고 입으로 가져갔다. 그야말로 천상의 맛이었다. 두 눈이 휘둥그레진 나를 보고 스님은 한참을 웃었다.

복숭아를 다 먹고 정자에 드러누웠다. 한여름인데도 깊은 산속이라 그런지 불어오는 바람이 제법 시원했다.

멀찍이서 우리를 지켜보던 주지 스님이, 일만 하던 스님이 곁에서 뭐라고 말하자 얼굴에 미소를 띠며 정자 가까이 다가왔다.

주지스님은 절에 놀러 오는 게 좋냐고 물었고 우리는 그렇다고 했다. 워낙 시골이라 따로 놀러 갈 데도 없었던 우리는 주말여행을 가는 것처럼 절에 놀러 갔기에 진심으로 그곳이 좋았다.

주지 스님은 기특하다며 천 원씩 우리에게 쥐여주곤 책을 한 권씩 건네주었다. 부처님의 일대기를 그린 만화책이었는데 빳빳한 새 책에서 향냄새가 났다. 너무 신났다. 돈을 받은 것보다 새 책을 받은 것에 너무 신이 났고 행복했다. 연서와 나는 주지 스님을 향해 두 손을 모아 "감사합니다! 성불하십시오."라고 인사를 한 뒤 냅다 만화책을 읽기 시작했다.

시원한 정자 아래, 산들바람을 맞으며 책을 읽었다.

책을 반쯤 읽었을까, 주지 스님이 점심 식사를 같이 하자고 했다며

45

일만 하던 스님이 다가와 말했다.

연서와 나는 주지 스님 앞에 나란히 앉았고 일만 하던 스님과 다른 스님 한 분은 조금 떨어져 앉았다. 일만 하던 스님이 식사 때는 말을 하면 안 된다고 알려주었지만 보살님이 만든 비빔밥을 보자마자 불쑥, 감탄사가 튀어나오는 것은 도저히 막을 수가 없었다. 다행히 주지 스님은 조용히 웃기만 할 뿐 혼내지는 않았다.

양념장을 넣어 야무지게 비벼 먹었다. 정말로, 정말로 꿀맛이었다. 천도복숭아도 먹었고 용돈과 책도 받았으며 맛있는 비빔밥까지 먹어 하늘을 날아오를 정도로 기분이 좋았다.

점심을 먹고 정자에서 늘어지게 쉬다가 늦은 오후, 산길을 내려갔다. 일만 하던 스님이 합장으로 연서와 나에게 인사를 하며 또 놀러오라고 했다. 우리도 손을 모아 인사를 하며 그러겠다고 했다.

내려오는 비탈길 위에서 연서와 나는 통나무 굴리기 놀이를 했다. 몸을 가로로 길 한가운데 눕히고 통나무가 굴러 내려가듯 몸을 굴려서 내려가는 것이었다. 새 책이 상할까 걱정이 되어 책을 바지춤에 집어넣고 윗옷으로 꽁꽁 감쌌다.

양팔을 위로 쭉 뻗어 올린 뒤 아래로 몸을 굴렸다. 일자로 내려가는 듯했지만 고개를 들어보면 도로의 가장자리로 굴러와 있기 일쑤였고 나무나 돌에 온몸이 이리저리 부딪혔지만 그게 또 그렇게 재미있었다. 나뭇가지와 나뭇잎으로 엉망인 서로의 머리와 옷을 보며 한참을 깔깔거리고 웃다 집으로 돌아왔다.

연서와 나는 그렇게 자주 절에 놀러 갔었고 일만 하던 스님은 언제나 그곳에서 우리를 반갑게 맞아주었다.

안녕하세요, 엄마. 안녕히 가세요, 엄마

13. 나의 11살(_2). 나는 버림받은 아이였다.

가을이 짙어진 어느 날, 한창 수업을 듣고 있는데 창문가에 검은색 정장치마에 검은색 재킷을 입은 낯선 여자가 다가왔다. 여자의 존재를 이미 알고 있는지 안쪽을 바라보도록 내버려 두던 선생님은 친구들과 구시렁대며 여자를 힐끔거리던 나에게 자리에서 일어나 책을 읽으라고 했다. 카랑카랑한 목소리로 열심히 책을 읽고 자리에 앉으며 다시 창가를 쳐다보았다. 여자는 양손으로 입을 가린 채 나를 바라보고 있었다.

수업이 끝나고 점심시간이 되자 긴장한 친구들이 다 같이 모여 어디서 온 사람인지에 대해 각자의 의견을 내놓기 시작했다.

"얼마 전에 체력장 검사했었잖아! 그때 점수가 낮은 사람들 다시 검사할라꼬 진주 시내에서 나온 사람들이다!"

"아이다! 며칠 전에 접종 안 맞은 사람들 때문에 온기다! 주사 무섭다꼬 안 맞은 사람들 있었잖아!"

교무실에 다녀왔던 반장이 교실로 들어서며 그 여자가 나를 찾아온 거라고 말했다. 무서워서 손이 덜덜 떨리고 심장이 오그라드는 것만 같았다. 할머니가 안 맞아도 되는 거라고 해서 주사를 맞지 않았었는데 아이들 말대로 내가 그때 주사를 안 맞아서 찾아온 게 분명했다.

잠시 후 담임 선생님이 교실로 찾아와 나를 불렀다. 주사 맞기 싫다며 꾸물거리는 내게 주사 맞는 거 아니니까 겁먹지 말라고 했다.

교무실로 가니 선생님 책상 옆에 그 낯선 여자와 마찬가지로 검은 정장 차림의 처음 보는 남자가 앉아 있었다. 자리에 앉자 선생님이 여자를 가리키며 내 엄마라고 했다. 그녀는 어깨를 움츠린 채 눈물이 그렁그렁한 얼굴로 나를 바라보았다. 진짜로 주사를 맞지 않아도 되는구나 싶어 기분이 좋아진 나는 꾸벅 인사를 했다.

"안녕하세요."

여자가 울었다. 나는 뭘 어떻게 해야 할지 몰라 멀뚱히 여자를 쳐다보기만 했다.

당황한 듯 머뭇거리던 선생님은 옆에 앉은 여자가 내 엄마라고 한 번 더 말해주었다. 나는 "네."라고 대답했다. 선생님이 금방 가르쳐 줘서 알고 있었으니 말이다. 어색하게 앉아 있던 나는 다시 교실로 돌아왔다.

수업을 모두 마치고 집에 돌아오니 집 앞에 검은색 자동차가 서 있었다. 유난히도 깨끗한 자동차가 다 쓰러져 가는 시골집과 대조를 이뤄 기묘하다는 느낌이 들었다. 집에 들어가니 아까 본 엄마라는 사람과 낯선 남자가 대청마루에 앉아 커피를 마시고 있었다. 작은 상 위엔 선생님들 가정 방문 때나 사용하던 커피잔에 커피 받침, 커피 숟가락이 올려져 있었고 가을 추수로 한창 바쁜 할머니와 할아버지도 어쩐 일로 그 앞에 앉아 있었다.

엄마는 커다란 종이 상자 여러 개를 내 앞으로 내밀었다. 딱딱한 종이 상자 안에는 낱개로 포장이 된 예쁜 간식들이 들어있었는데 예전에 연서가 말했던 백화점이란 곳에 가면 볼 수 있는 그런 비싼 것들 같았다. 안에 팥 앙금이 든 것도 있었고 달달한 초콜릿이 입혀진 것, 꼭 동그란 떡처럼 생긴 것도 있었다. 옷도 사 오고 싶었으나 내가 얼마나 컸을지, 키나 몸무게가 얼마나 될지 몰라서 사 오지 못했다고 했다.

엄마가 간식 중에 하나 먹어보겠냐고 해서 팥 앙금이 든 간식을 하나 꺼내 먹었다. 쫀득거리는 간식을 깨어 물자 안쪽의 달달한 앙금이 톡 터지며 입안을 휘감았다. 순식간에 기분이 좋아져 마당 이곳저곳을 뛰어다니며 놀았다.

엄마는 한참 그곳에 앉아 나를 지켜봤다. 할머니와 할아버지도 아무런 말없이 그곳에 앉아 있었다.

저녁식사 시간이 되기 전, 엄마와 낯선 남자가 일어났다. 할머니와 함께 대문까지 배웅을 나갔다. 내 머리를 쓰다듬으며 눈물을 흘리는 엄마를 향해 고개를 꾸벅 숙였다.

49

"안녕히 가세요."

엄마가 내 말을 따라 중얼거렸다.

"...안녕히... 가세요..."

그러고는 나를 끌어안고 펑펑 울기 시작했다. 미안하다고 말하며
계속해서 울었다. 나는 슬프지도 않았고 미안하지도 않았기에 울지
않았다. 엄마와 낯선 남자는 그렇게 떠났다. 내가 엄마를 본 처음이
자 마지막이었다.

─────

"엄마 안 보고 싶나?"

"얼마나 엄마가 보고 싶을꼬... 불쌍하다, 불쌍해."

"엄마 따라서 안 가고 싶드나?"

그전에도 그랬지만 엄마가 다녀가고 난 뒤 동네 할머니들과 고모
들의 질문의 강도와 횟수가 날이 갈수록 심해졌다.

나의 유년기에서 가장 받기 싫었던
엄마 보고 싶지 않냐는 질문.
죽기보다 듣기 싫었던
불쌍하다는 말.

엄마가 보고 싶지 않냐며 묻는 어른들은 무언가를 기대하는 눈빛
으로 나를 바라보곤 했다. 아무리 어린 나이라도 알 수 있었다. 그들

은 엄마에게 버림받은 아이의 눈물을 기대했을 테고 슬퍼하는 아이를 자신들의 방식으로 거짓 위로하며 스스로를 월등한 인간이라 착각하고 싶었을 것이다.

느닷없이 낯선 사람이 보고 싶지 않은 것처럼 엄마라는 존재를 단한 번도 경험해 보지 못했기에 엄마가 보고 싶지 않았고, 모르는 사람을 무작정 따라가고 싶지 않은 것처럼 엄마라는 존재가 사람의 인생에서 얼마나 중요한지 알지 못했기에 엄마를 따라가고 싶지도 않았다. 그게 나의 솔직한 대답이었다. 하지만 매번 나는 그 질문에 대답을 하지 않았다. 질문을 던진 어른들이 기대하는 모습은커녕, 그 질문에 반응하는 것조차도 하기 싫었기 때문이었다.

아무런 대답을 하지 않는 나를 두고 어른들은 내가 엄마가 너무 보고 싶어서 대답도 못한다고 생각했다. 아니라고 말해봤자 어차피 그들은 자신들이 원하는 데로 해석할 것이기에 굳이 정정하려 들지 않았다.

한참이 지난 뒤 알게 되었다. 그때 엄마는 아빠와 정식으로 이혼 절차를 밟기 위해 시골집을 찾은 것이라는 걸.

같이 온 남자는 재혼을 하기로 한 남자였다고 했다.

분교였던 학교가 폐교를 했다

14. 나의 12살(_1). 나는 버림받은 아이였다.

분교였던 학교가 폐교를 했다. 국민학교 5학년이 된 나와 친구들은 지금의 분교보다 30분 정도 더 걸어가야 했던 조금 더 큰 학교로 옮겨야 했다.

4학년 겨울방학이 시작하기 전에 자전거가 있는 친구들과 함께 그 학교를 염탐하기 위해 내려갔었는데 키가 큰 나무 사이로 보이는 쓰레기장과 소각장을 보곤 하나같이 기겁을 해 소리쳤다.

"학교가 너무 더럽다!"

"이렇게 더러운 학교에 내년부터 와야 하다니, 절망적이다!"

그 소리에 소각장에서 종이를 태우고 있던 남자아이 네 명이 소리를 꽥 지르며 자전거를 타고 우리를 쫓아왔다. 우리 학교까지 따라온 아이들은 학교 정문에 무슨 선이라도 그어진 듯 안으로는 들어오지 않고 그 앞에 서서 악을 썼다.

"분교 주제에 말이 많다."

"너네 학교가 더 더러운 데다 새집처럼 작다!"

나를 포함해 운동장에 서있던 여학생들이 전부 울었다. 5학년과 6학년 오빠들이 뛰쳐나가 그 아이들을 쫓아냈는데 따라온 아이들은 모두 4학년, 나와 동갑이었던 아이들이라고 했다.

그렇게 안 좋은 기억이 있는 학교로 새 학기부터 옮겨야 한다니... 그 못된 아이들과 같은 반이 되어야 한다니... 하늘이 무너지는 것만 같았다.

겨울방학이 끝나고 새 학기 첫날, 운동장에서 전체 조회를 하고 각 교실로 배정받아 들어갔다. 분교에서 내려온 열두 명의 아이들은 담임 선생님의 지시에 따라 원래 학교에 있던 열두 명의 아이들과 짝을 지어서 앉아야 했다. 나는 안경을 낀 조그만 남자아이와 짝이 되었다.

담임 선생님은 20대 중반의 단정한 단발머리의 여자 선생님이었는데 차분한 성격에 조용조용 우리의 이야기를 찬찬히 다 들어주고 사소한 일에도 많이 웃어주는 분이었다.

새 학교로 옮기면서 많은 것이 달라졌다. 첫 번째로 급식소가 있어서 더 이상 도시락을 싸지 않아도 된다고 했다. 대신에 학부모 중 한 명은 급식 배당을 위해 돌아가며 한 달에 한 번씩 학교로 와야 했었는데 할머니도 예외는 아니었다.

나는 할머니가 학교에 오는 게 너무도 좋았다. 극도로 설레어서 오전 내내 엉덩이가 들썩거렸고 점심시간에는 할머니가 급식을 전부 배당할 때까지 식당에 남아서 할머니 모습을 지켜보기도 했었다.

밝은 미소가 예뻤던 영양사 선생님은 할머니가 학교로 오는 날은 늘 나에게 장난치듯 말했었다.

"예쁜 소희랑 닮은 분이 오셨네~ 소희는 좋겠네~."

커다란 변화 두 번째는 바로 스쿨버스의 운행이었다. 학교에서 제일 멀었던 우리 동네까지 운행이 되었기에 더 이상 폭우가 쏟아지는 날이나 턱이 덜덜 떨리는 한 겨울에 걸어 다니지 않아도 되었다.

선이 짙고 잘생긴 얼굴에 운동을 좋아했던 스쿨버스 기사 아저씨는 한 번씩 동네 할머니들이 스쿨버스를 시내버스처럼 이용해도 싫은 소리 한번 하지 않았고 항상 친절하고 예의 발랐다.

연서와 광수, 그리고 나는 새 학교에 빠르게 적응했으며 점점 새 학교를 좋아하게 되었다.

매일 아침 스쿨버스를 타고 학교에 도착하면 급식소 앞에 있던 잔디밭에서 한 시간 정도를 뛰어놀았는데 나는 그 시간을 무척이나 좋아했다. 새로운 담임 선생님도 좋았고 나를 예뻐했던 영양사 선생님도 좋았고 언제나 밝은 얼굴의 스쿨버스 기사 아저씨도 좋았다.

나는 새로운 학교와 친구들에게 빠르게 적응되어 갔다.

숟가락으로 뺨을 맞으면 정말 아프다

15. 나의 12살(_2). 나는 버림받은 아이였다.

유난히도 화창했던 여름, 오랫동안 연락이 없던 아빠가 시골집을 찾았다. 커다란 꽃무늬가 새겨진 화려한 원피스를 입은 젊은 여자와 함께였는데 지난번 아빠 가게에서 본 여자가 아니었다.

한동안 비가 오지 않아 할머니와 할아버지는 논에 물을 대는 일로 온 신경이 곤두서 있었고 가뭄에도 무성하게 자라나는 잡초를 뽑는 일로 무척이나 바빴기에 집에는 나 혼자 있었다. 수돗가에 앉아서 쌀을 씻고 있다 갑자기 찾아온 아빠와 젊은 여자를 보고 얼떨결에 "어! 아빠."라고 말하며 자리에서 일어났다. 그러자 다급하게 다가온 아빠가 내 머리를 쥐어박았다.

"이게 아빠 없이 커서 나만 보면 계속 아빠라고 부르네. 삼촌한테!"

나는 그대로 입을 다물었다. 뒤에 서 있던 젊은 여자가 가까이 다가와 눈을 접어 웃으며 반가운 척 인사를 건넸다. 훅 끼치는 강한 향수 냄새에 현기증이 일었다.

여자의 인사를 무시하고 다시 자리에 앉아 쌀을 씻었다. 아빠는 손님이 왔는데 커피도 한잔 내오지 않냐며 나를 타박하더니 할머니, 할아버지 어디 갔냐고 소리를 질렀다. 논에 갔다는 짧은 대답만 한 채 밥통에 쌀을 안치고 곧장 아궁이로 가서 소에게 먹일 여물을 뒤섞었다.

아궁이 옆으로 쫓아온 아빠는 내 머리를 세게 내리치며 빨리 가서 할머니와 할아버지를 불러오라고 했다. 들은 체 만 체하며 일부러 오랫동안 여물을 뒤적거리며 뭉그적거리자 아빠는 나에게서 나무 작대기를 뺏어들더니 당장 논에 가서 두 분을 데려오라며 얼굴을 내리칠 듯 손을 들어 올렸다.

하는 수없이 논으로 향했다. 길가에 활짝 핀 꽃을 만지작거리며 천천히 걸어 논으로 갔다. 할머니, 할아버지는 정색을 하며 바빠서 못 내려간다고 했다. 바쁘지 않아도 내려갈 생각이 없는 듯했다.

한참을 두 분과 함께 있다가 집으로 내려갔다. 아궁이에 올려둔 소여물이 타버릴까 걱정이 돼서 계속 그곳에 있을 수가 없었기 때문이었다.

집에 가니 아빠는 그 젊은 여자와 토마토를 잘라 설탕을 뿌려 먹고 있었다. 사람도 없는 집에서 허락도 없이 냉장고를 뒤졌나 싶어 괜히 짜증이 났다.

두 분이 내려오지 않는다는 소식에 화가 난 것인지 아니면 너무 바빠 청소할 겨를도 없어 엉망이었던 집에 화가 난 것인지 "집 청소 안 하나? 집 꼴 좀 봐라! 엄마 없이 자란 티가 이런 데서 난다!"라고 말하며 들고 있던 숟가락으로 내 뺨을 후려쳤다. 너무 아파서 갑자기 울음이 터졌다. 서럽게 우는데 아빠는 또 운다고 머리를 쥐어 박았다.

그 뒤로 그 젊은 여자는 아빠와 함께 서너 번 시골집을 더 찾았다. 그녀는 올 때마다 내가 읽을 만한 책을 세네 권 씩 빌려다 주었는데 중간중간 삽화가 그려진 책이 제법 재미있었다.

그해 여름의 끝자락쯤 '작은 아씨들'을 빌려다 준 여자는 더 이상 시골집에 오지 않았다.

책 대여점에서 빌린 듯한 책은 대여점 이름과 전화번호가 적힌 스티커가 붙어 있었는데 나는 그걸 손톱으로 살살 뜯어 없애 버리곤 꼭 내 책인 것처럼 생색을 내며 친구들에게 빌려주곤 했었다. 그 여자가 알아서 대여점에 책값을 물어줬겠지라고 생각하면서 말이다.

할아버지의 칠순잔치

16. 나의 13살(_1). 나는 버림받은 아이였다.

주말에 있을 할아버지의 칠순 잔치로 할머니와 동네 할머니들이 새벽 첫차를 타고 오일장에 갔다. 돌아오는 버스 시간에 맞춰 할아버지와 리어카를 가지고 내려가니 할머니가 엄청난 양의 짐을 정류장에 쌓아놓고 기다리고 있었다. 고기와 생선, 전을 부칠 재료들, 떡과 약과, 과자, 과일과 마른안주... 할머니와 동네 할머니들은 장 보는 것이 고단했던지 정류장에 있던 커다란 나무 아래 잠시만 앉아 있다가 오겠다고 했고 할아버지와 나는 리어카를 끌고 밀며 집으로 돌아왔다. 집에 도착하자마자 고기와 생선은 냉장고에 나머지 과일과 마른안주, 떡은 건넛방의 서늘한 곳으로 옮겨 두었다.

그날 저녁 할머니는 두툼한 돼지 목살을 듬뿍 넣어 김치찌개를 끓였다. 고기를 하도 많이 사서 정육점에서 서비스로 준 것이라며 내 국그릇에 넘칠 정도로 고기를 떠주며 말했다.

"우리 소희가 육고기 좋아한다 아이가. 마이 무라이!"

덩달아 기분이 좋아진 할아버지가 소주를 곁들이며 내 머리를 쓰다듬었다.

"마이 무라. 많이 묵고 얼른 커서 훌륭한 사람 돼야제!"

나는 그러겠다고 대답하고 김치찌개에 밥을 말아 두 그릇을 먹었다.

빠르게 주말이 다가오고 외지에 살고 있던 네 명의 고모들과 고모부, 삼촌과 숙모, 사촌들이 시골집을 찾았다. 잠잘 공간이 부족해 몇 해전 아빠와 예쁜 언니가 잠시 살았던 옆집을 사용하기로 했다.

작은 시골집은 명절 때처럼 발 디딜 틈 없이 붐볐고 늦은 저녁까지 마당에 둘러앉은 가족들은 삼겹살을 구워 먹고 술을 마시며 그동안 미뤄두었던 이야기꽃을 피웠다.

칠순 잔치 전날, 할아버지는 삼촌과 사촌 동생과 함께 농협에 소주와 맥주, 음료수를 사기 위해 경운기를 몰고 집을 나섰다. 대구 고모부와 울산 고모부가 차가 있었지만 사야 하는 술의 양이 많아 무게 때문에 차를 이용하지 못한다고 했다.

할머니와 고모, 숙모는 하루 종일 전을 부치고 고기를 삶고 나물을 무쳤다. 그런 북적거림이 좋았던 나는 그 틈에 끼어 앉아 구워 내는 전을 야금야금 주워 먹고 사촌들과 함께 온 동네를 뛰어다니며 놀았다.

햇살이 무거운 노란빛으로 물들어가는 늦은 오후, 안방에 있던 전화가 울렸다. 농협에서 술과 음료수를 사서 집으로 돌아오던 경운기가 사고가 났다고 했다. 대구와 울산 고모부가 서둘러 차를 끌고 그곳으로 향했다.

많은 양의 술과 음료수를 싣고 코너를 돌던 경운기가 한쪽으로 기울어지며 언덕 아래로 굴러떨어졌고 순간적으로 사고를 감지한 할아버지가 사촌 동생을 경사면으로 던져서 사촌 동생은 가벼운 찰과상만 입었지만 삼촌은 경운기 아래 깔려버렸다고 했다. 다행히 근처에 있던 동네 주민들이 와서 도와주었지만 무거운 경운기에 허리가 깔린 삼촌은 제대로 걷지도 못할 정도로 힘들어했다.

당장 내일이 할아버지 칠순잔치인 데다 큰 병원까지 가려면 한 시간을 차를 타고 가야 했고 주말이라 어차피 병원을 가도 응급실에서 하릴없이 진통제나 맞을 것이기에 삼촌은 병원행을 접고 그냥 집으로 돌아왔다.

좋은 날을 앞두고 집안 분위기가 무거워지자 삼촌은 애써 웃으며 괜찮다고 가족들을 위로했고 겨우 6살이던 사촌 동생도 의젓하게 울지 않았다.

할아버지는 사랑채에 묵직하고 푹신한 이불을 깔아 삼촌이 편히 잘 수 있도록 자리를 봐주곤 자신은 빈집으로 건너가 잠을 청했다.

다음 날 할아버지의 칠순잔치로 온 마을이 떠들썩했다. 대부분이 일가친척이던 동네 사람들과 그 가족들까지 모여들어 하루 종일 먹고 마셨고 삼촌은 아픈 허리를 부여잡고 노래를 부르고 고모부들은 번갈아 가며 할아버지를 등에 업고 마당을 돌아다녔다.

나도 연서와 광수, 사촌들과 함께 배 터지게 고기와 전, 과일을 먹으며 온종일 지루할 틈 없이 놀았다. 잔치는 날이 저물어서야 끝이 났고 모두들 밤늦게까지 뒷정리를 했다.

장남이었던 아빠는 끝내 할아버지 칠순 잔치에 모습을 드러내지 않았다.

하루 종일 요란스럽던 동네가 마침내 깊은 잠에 빠져들고 정적에 휩싸인 새벽, 옆집에서 자고 있던 할아버지가 삼촌의 이름을 불렀다.

"종국아! 종국아! 이리 좀 와 봐라!"

잠에서 깬 삼촌과 할머니, 고모부 몇몇이 옆집으로 건너갔다. 대청마루에 걸터앉아 바닥을 향해 라이터의 불을 비추고 있던 할아버지가 말했다.

"와서 이거 좀 봐라."

잠을 자다가 속이 울렁거려 밖으로 나온 할아버지는 화장실까지 가지 못하고 마당에 토를 했다고 했다.

일렁이는 라이터의 불빛이 가늘게 떨렸다.

할아버지 발아래 흥건하게 고여 있던 것은 검붉은 피였다.

2부

나는 엇나가는 아이였다.

나는 아직도 진주댁 할머니가 밉다

1. 나의 13살(_2). 나는 엇나가는 아이였다.

할아버지는 다음날 바로 진주 시내에 있는 종합병원으로 갔다. 식도암이 의심되니 정밀검사를 위해 대학병원으로 가보라고 했다. 가족들은 오랫동안 의논을 한 뒤 진주에 있는 경상대학교 병원보다 조금 더 큰 부산대학교 병원에 가는 걸로 의견을 모았다.

추수가 다 끝나고 천천히 병원에 가고 싶어 하는 할아버지를 할머니가 완강하게 막아섰다.

"쓸데없는 걱정 하지 마소! 내가 다 알아서 할 낀께, 당신은 병원 가서 병이나 고칠 생각이나 하소!"

할아버지는 얼마 지나지 않아 부산대 병원에서 첫 번째 외래 진료를 받았고 그 뒤로 검사 때문에 거의 매주 부산대 병원을 방문했다. 글을 몰랐던 할아버지가 혼자서 병원을 찾는 건 엄두도 못 낼 일이었기에 늘 할머니가 동행했다. 두 분이 부산에 한번 가면 하루 종일이 걸리거나 어쩔 때는 하룻밤을 묵어야 하는 경우도 있었기 때문에 집안일이며 가축을 돌보는 일 같은 건 모두 나의 몫이었다.

식도에 커다란 종양이 발견되었으나 다행히 몸 전체로 암이 퍼지지 않은 데다 현재로서는 모양도 나쁘지 않아 수술이 가능하다며 한 달쯤 뒤로 수술 날짜가 잡혔다. 추수철이라 정신없이 바빴지만 할머니와 할아버지는 가능한 한 모든 일을 수술 전까지 마무리하려고 밤낮없이 일을 했다.

부산으로 내려가기 전날 밤, 할아버지는 내 머리를 쓰다듬으며 친구들과 과자 사 먹으라며 돈 2만 원을 쥐여주었다.

"수술 끝나고 금방 올낀께, 밥도 잘 챙기 묵고... 나무 아끼지 말고 군불 많이 때서 방 따뜻하게 해서 지내라이!"

수술 전 검사 때문에 일주일 전에 입원을 해야 하는 데다 수술 후에도 2주에서 3주는 더 입원해 있어야 한다고 했기에 할머니는 커다란 가방에 필요한 물건들을 한가득 챙겼다. 아무래도 나 혼자 집을 지키는 건 무리가 있다고 판단을 했던지 두 분이 집을 비우는 동안엔 숙모가 6살과 4살 된 사촌 동생 둘과 함께 시골집에 와 있을 것이라고 했다.

할아버지의 수술 날.

삼촌과 고모, 고모부들, 그리고 나와 숙모까지 모두 부산대 병원으로 향했다. 집도를 맡았던 의사가 수술이 중간쯤 진행되었을 때 가족 중 한 명을 수술실로 들어오도록 했다. 삼촌이 대표로 들어가자 집도의는 할아버지 목에 있던 커다란 종양을 직접 보여주며 말했다고 했다.

"이렇게 큰 놈이 자리를 잡고 있었으니 피를 토하지요. 분명히 불편하고 아프기도 했을 텐데... 아무튼 최대한 깨끗하게 제거하기는 할 텐데 출혈이 너무 심하다 싶으면 전부 제거를 못할 수도 있습니다."

수술은 여섯 시간 정도 걸렸다. 의사의 말대로 대부분의 종양을 제거했지만 출혈 때문에 모두 제거하지 못했고 방사선치료와 항암치료를 더 받아야 한다고 했다. 하지만 할아버지는 집에 손녀도 있고 돌봐야 하는 가축도 있다며 항암치료를 단칼에 거부하고 약 2주 뒤 퇴원했다.

부산역에서 출발한다는 할머니의 전화를 받은 나는 사랑채 방문을 열고 깨끗이 방을 치웠다. 냉골처럼 차가운 곳에 할아버지가 누우면 안 된다는 생각에 군불도 지폈다.

"우리 손녀가 내가 온다꼬 따땃하게 군불을 때 놨네. 우리 손녀가 최고다!"

거의 한 달 만에 집에 돌아온 할아버지는 조금 수척해지기는 했지만 수술을 한 사람이 맞나 싶을 정도로 건강해 보였다. 할아버지는 목에 있는 수술 자국을 내게 보여주며 이제 종양을 전부 다 제거 했으니 걱정 없다고 했다.

친척들이 모두 돌아가고 다시 할아버지와 할머니, 나만 시골집에 남았다. 모든 것이 예전처럼 돌아가는 듯했다. 할아버지가 완벽하게 회복되었다고만 생각했다. 아마 할아버지도 그렇게 생각했는지도 모르겠다.

여전히 종양의 일부가 남아있다는 의사의 소견과 식사와 일상생활을 바꿔야 한다는 권고가 있었지만 할아버지는 술과 담배를 끊지 못 했다. 화가 난 할머니는 집에 있던 술이란 술은 전부 수돗가에 부어 버리고 담배도 모두 태워버렸다. 하지만 동네에 진주댁이라 불리던 할머니가 한 명 있었는데 할아버지가 동네 할아버지들과 그 집에 놀러 갈 때면 진주댁은 정말 끝도 없이 술을 내주었다. 할머니가 절대로 술과 담배를 주지 말라고 신신당부를 했는데도 진주댁은 할아버지를 볼 때마다 술과 담배를 권했다. 할아버지를 찾으러 거의 매일 그 할머니의 집을 찾았고 진주댁과 할머니의 다툼도 셀 수도 없이 많았다.

"우리 할아버지한테 술 주지 마세요! 왜 자꾸 주는데요? 할매가 뭔데 우리 할아버지한테 계속 술을 주냐고요!!"

화가 난 나도 악을 쓰고 대들었다.

아직도 나는 진주댁 할머니가 왜 그렇게 기를 쓰고 할아버지에게 술과 담배를 권했는지 이해할 수가 없다. 한 동네에서 척을 지는 사람 없이 나름 좋은 관계를 유지하며 살아오던 할머니와 할아버지였는데... 대수술을 받고 온 할아버지에게, 그것도 아직도 종양의 일부가 남아있는 할아버지에게 왜 그렇게 그 할머니는 술을 퍼주었을까.

"부산 양반이 술을 달라고 하도 고집을 부리는데 내가 우찌 안 줄 수가 있노?"

진주댁은 할머니에게 이런 변명 같은 말을 늘어놓곤 했다.

겨울이 지나고 할아버지가 다시 목 안에 이물감을 느낀 건 수술 후 고작 몇 개월 뒤였다.

갈매기의 꿈

2. 나의 14살(_1). 나는 엇나가는 아이였다.

14살, 나는 중학생이 되었다.

교복을 맞추고 머리카락도 규정에 맞춰 귀밑 3 cm로 짧게 잘랐다. 내가 살던 면(面)에서 단 하나밖에 없던 중학교에 입학했는데 같은 초등학교를 졸업한 24명의 친구들과 아래쪽 면(面)에 있던 초등학교를 졸업한 20여 명의 친구들과 같은 반이 되었다.

중학생이 된 우리는 국민학교 스쿨버스를 탈 수 없었고 탈 수 있다 해도 8시가 넘어서야 운행되었기에 매일 아침 한 시간 넘게 걸어다닐 수밖에 없었다.

아침 7시 반에 시작되는 자율학습 시간에 맞추기 위해 연서와 나는 새벽 6시쯤 집에서 출발했다. 한겨울 매서운 새벽바람에 머리카락이 유리조각처럼 얼어붙고 코끝과 볼이 새빨갛게 부르텄다. 그나마 학교를 마친 뒤에는 버스를 타고 동네 근처까지 올 수 있어 다행이었다.

학교생활은 고만고만했다. 삐뚤어진 아이도 아니었고 그렇다고 모범생도 아닌 어중간한 마음으로 중학생이 되었다.

무엇이었을까?

교복을 입고 머리카락을 자른 그날부터 내가 보는 세상의 각도가 조금씩 삐뚤어지기 시작했다. 모든 것이 불만스러웠다. 모든 것이 불공평했다.

왜 나는 이런 집에 태어났을까? 내가 선택한 것도 아닌데, 왜? 부모가 없으면 가난하지나 말던가. 엄마, 아빠에게 버림받은 데다 아빠의 폭력과 폭언을 견뎌야 했고 할머니와 할아버지는 찢어지게 가난하기까지 했다.

이런 구질구질한 시골집에서 떠나고 싶다...
이런 거지 같은 상황에서 벗어나고 싶다...

공부보다는 국민학교 고학년부터 가까워진 친구 기연이와 손거울을 들여다보며 눈썹을 다듬거나 좋아하는 가수의 음악을 듣는데 더 많은 시간을 보냈다. 수업 시간엔 망상에 사로잡혀 멍하게 창밖을 내다보며 시간을 때웠다.

할머니는 술과 담배를 끊지 못했던 할아버지에게 끊임없이 잔소리를 했고 목의 이물감과 통증 때문에 제대로 식사를 하지 못해 신경이 극도로 예민해진 할아버지는 할머니의 잔소리에 화부터 냈다.

통증을 잊으려고 술을 마실 수밖에 없다던 할아버지는 할머니 손에 이끌려 다시 부산대 병원을 찾았다. 식도암이 재발해 암이 온몸으로 퍼져 나가기 시작했으며 더 이상 치료할 방법이 없고 수술도 불가능하다고 했다. 가능하다고 해도 몇 개월 만에 그 많은 수술 비용을 감당할 방법도 없었다.

진통제만 받아 들고 다시 집으로 돌아온 할아버지는 식사를 제대로 하지 못해 점점 기력을 잃어갔다. 캔에 든 황도를 잘게 잘라 겨우 삼키고 쫀득거리는 유가 사탕으로 근근이 버텼다.

현실을 회피하고 싶었다. 모든 것이 지긋지긋했고 모든 것에 화가 났다. 재미있는 것도 없었고 흥미를 끄는 것도 없었다.

그렇게 1학기가 끝나갈 무렵, 아무런 생각 없이 교실 뒤쪽에 있던 책장으로 향했다. 한 학년에 한 반 밖에 없는 아주 작은 학교였기에 따로 도서관 같은 건 없었고 각 교실마다 약 100여 권의 고전 소설이 배치되어 있었다. 별다른 생각 없이 책 한 권을 빼 들었다. 중간중간 삽화가 들어가 있는 것이 제법 구미를 끌었다. 전에 아빠를 따라왔던 여자가 빌려다 주었던 책과 비슷하겠거니 생각하며 도서 카드에 이름을 쓰고 집으로 가져왔다.

갈매기의 꿈.

내 인생을 송두리째 흔들어 놓은 책.
날카로운 칼날처럼 말랑거리던 나의 감성을 단숨에 찌르고 들어온, 그 책.
다섯 번을 연달아서 읽고 또 읽었다.
평범하게 태어나 어쩌면 당연하게 '이렇게 살아야 한다'라고 생각

되던 삶을 거부한 조나단 리빙스턴의 이야기가 그때의 나에게 채찍 같은 아픔으로 다가왔다.

처음으로 글의 힘을 알게 되었다.

나는... 무슨 노력을 했던가. 불평이나 할 줄 알았지 나는 내가 처한 상황에서 어떤 노력을 했던가.

책을 읽으며 많이 울었다.

조나단 리빙스턴처럼 자신의 꿈을 위해, 어떠한 경지에 오르기 위해 노력하고 싶었다. 하지만 무엇을, 어떻게, 어디서부터 해야 하는지, 또 그렇게 하면 정말로 나의 이 거지 같은 삶이 변하기나 하는지... 아무것도 알 수 없었다.

내 세상의 절반이 무너져 내렸다

3. 나의 14살(_2). 나는 엇나가는 아이였다.

여름방학이 끝나갈 때쯤, 할아버지의 상태가 급속도로 나빠졌다. 아무것도 먹지 못해 피골이 상접한 할아버지는 수액이라도 맞기 위해 병원을 찾았다. 부산대 병원에선 굳이 멀리 오지 말고 가까운 병원에 입원하라고 했다.

진주 시내에 있던 종합병원에 입원한 할아버지는 의사의 처방으로 수액과 진통제를 맞았다. 통증이 잦아들기가 무섭게 의사는 코로 튜브를 꼽아 위 속으로 영양분을 공급해 줘야 한다며 비위관삽관을 하자고 했다.

병실 밖으로 할아버지의 괴로운 구역질 소리가 들렸다. 의사는 계속해서 할아버지에게 삼키라고만 소리쳤다. 식도를 막고 있던 종양 때문에 물도 제대로 삼키지 못했던 할아버지의 식도 안으로 위관을 통과시키겠다고 제안한 의사가 이해되지 않았다.

할아버지를 향해 계속해서 고함을 지르는 의사의 뺨을 때리고 싶었다.

결국 비위관삽관은 실패했고 할아버지는 수액만 몇 병 맞다가 일주일쯤 뒤 집으로 돌아왔다. 뼈와 살가죽만 남은 할아버지는 혼자 걷지 못했다. 삼촌의 등에 업혀 사랑채에 눕혀진 할아버지는 내가 알던 나의 하늘과도 같았던 할아버지가 아니었다.

움푹 파인 두 눈과 볼, 과도하게 돌출된 광대, 앙상하게 말라버린 팔과 다리...

할아버지는 칠십이 넘어도 흰머리 하나 없던 검은 머리카락을 늘 물을 묻혀 반듯하게 빗어 넘기고 있었는데 그런 단정함 따위는 더 이상 찾아보기 힘들었다.

"소희야! 얼음 좀 가지고 온나!"

물을 삼키기 힘들었던 할아버지는 입안이 말라 늘 얼음을 물고 있었는데 할머니가 논에 일을 나가고 나면 할아버지의 병간호는 내 몫이었다.

서둘러 컵에 얼음을 담아 사랑채로 가져갔다. 방문을 열자 쿰쿰한 냄새가 훅 밀려들었다. 할아버지 옆에 얼음을 놓고 서둘러 방을 나오려는데 할아버지가 대뜸 화를 냈다.

"와 이리 오래 걸리노? 가지고 오라면 빨리빨리 갖고 와야 될 거 아이가!!"

할아버지는 단 한 번도 나에게 화를 낸 적이 없었다. 늘 잘한다고, 늘 옳다고 말해주던 할아버지가 나를 향해 고함을 질렀다.

"손녀딸 키워나도 아무런 소용도 없다! 다 키워놨드만 이제는 병든 할배 죽을 날만 기다리고 있는 거 봐라!"

서러움에 눈물이 차올라 도망치듯 방을 나왔다.

그 이후로 나는 최대한 할아버지를 피했다. 달라진 할아버지의 모습이 무서웠다.

논에서 일을 마치고 돌아온 할머니가 할아버지를 등에 업고 평상으로 나왔다. 한여름의 햇살이 좋아 잠시 바깥바람을 쐬게 해줄 요량이었으나 할아버지는 채 십 분도 앉아 있지 못하고 다시 방으로 들어갔다.

얼마 지나지 않아 할아버지는 자꾸만 헛소리를 하고 온전히 정신을 차리지 못했다. 할머니는 할아버지를 안방으로 옮긴 뒤 요구르트를 설핏 얼려 숟가락으로 떠먹였다. 하루 종일 그 작은 요구르트 한 병을 다 먹는 날이 없었다.

며칠 뒤 동네 친척 할머니들이 할아버지를 찾았다. 그날따라 정신이 온전해진 할아버지는 할머니들과 담소를 나누었다. 그리곤 내게 말했다.

"우리 소희는 얼른 커서 훌륭한 사람이 돼야 된다이! 좋은 사람 만나서 결혼도 하고 아도 낳고... 부자로 살아라이!"

곁에 있던 할머니의 손등을 토닥이던 할아버지가 방구석을 향해 손가락을 뻗었다.

"저.... 저짝에.... 우리 엄마가 와 저 구석에 서 있노? 우리 엄마한테 이거 좀 갖다 줘라."

옆에 놓여 있던 요구르트를 가리키며 방구석을 향해 손짓을 하던 할아버지는 다시 정신을 잃었다.

그날 오후,

할아버지가 돌아가셨다.

세상에 미련이 많이 남은 사람처럼 두 눈을 뜬 채.

할머니는 무너졌다.

나는 어안이 벙벙해져 할아버지를 끌어안고 우는 할머니의 모습을 멍하게 바라보았다.

죽음이라는 것이 무엇인지 알았지만 알지 못했다.

상실이라는 것이 무엇인지 알았지만 정확히 알지 못했다.

나는 그렇게 나의 둘도 없던 버팀목을 잃었다.

나의 세상의 절반이 무너져 내렸다.

할아버지, 우리 할아버지, 어디를 가십니까?
4. 나의 14살(_3). 나는 엇나가는 아이였다.

동네 어른들의 도움으로 할머니가 지붕 위에 올랐다. 할아버지가 즐겨 입던 윗옷을 하늘을 향해 흔들며 크게 할아버지 이름을 세 번 불렀다.

"이상종, 이상종, 이상종."

할머니의 서러운 울음이 뒤따랐다.

외지에 살던 고모들이 차례로 도착하고 삼촌과 숙모도 도착했다. 아빠는 제일 마지막 날 도착했다. 땅을 치며 통곡을 하는 고모들 사이에서 아빠는 비실비실 웃고 있었다. 바닥에 앉아 있던 큰 고모가 신발을 벗어던지며 소리쳤다.

"오빠는 왜 웃는 교? 뭐가 좋다꼬 그래 웃느냐 말이요! 아부지가 누구 때문에 저리 가싰는데! 살아생전 아부지 가슴에 대못을 박아 놓고 지금 웃고 있는 기 말이나 돼요!!"

아빠는 단숨에 표정을 바꾸고 큰 고모를 내려칠 듯 손을 들어 올렸다.

"주둥아리 안 닥치나? 어디서 하늘 같은 오빠한테!!!"

화가 난 큰 고모는 멈출 줄 몰랐고 나머지 고모들도 한 마디씩 거들고 나섰다.

"오빠는 해도 해도 너무 한다! 아부지가 암에 걸리시가 그렇게 큰 수술을 받았는데 우찌 한 번을 안 찾아왔는 교? 장남이 돼가 우찌 그랄 수가 있냔 말이요!"

"평생을 돈 걱정만 하시다가... 오빠 때문에 평생을 돈 걱정만 하시다가 저래 가셨지! 우리 아부지 불쌍해서 우짜노! 우리 아부지! 다 오빠 탓이다! 오빠가 책임지라!"

싸움은 한참이나 이어졌다.

"고만들 안 하나? 아부지가 다 듣고 계신다!"

할머니의 호통에 싸움이 잦아들었다.

염을 마친 장의사가 할아버지에게 하얀색 한복과 긴 두루마기를 입혔다. 순서대로 할아버지 이마를 짚고 마지막 말을 하라고 했다. 할아버지 이마 위에 손을 올렸다. 얼음장처럼 차가운 감촉에 등골이 서연 해졌다.

'할아버지, 극락 가세요. 할머니랑 제 걱정은 하지 마시고요. 커서 꼭 훌륭한 사람이 돼서 할머니께 효도할게요.'

사극에서나 보던 나무로 된 기다란 가마 위에 할아버지의 관이 실렸다. 이 씨 집안의 족보에서 가장 서열이 위였던 연서의 아빠가 가마의 선두에 올라 종을 울리고 미정이와 광수의 아빠, 그리고 동네 할아버지들이 줄지어 서서 가마를 어깨 위로 들쳐 올렸다.

할머니와 삼촌과 고모, 나머지 가족들은 그 뒤를 따랐다. 상주가 되어 제일 앞에 선 아빠가 자식들이 잡고 걸어야 한다는 대나무 작대 기를 하나 집어 들었다. 삼촌과 고모들이 잡은 것보다 유난히도 굵은 대나무 작대기를 골라 든 아빠를 향해 동네 할머니들이 입을 모아 말 했다. 살아생전 제일 속을 많이 썩인 자식이 제일 굵은 작대기를 잡게 되어 있다고. 그 말을 듣고 또 아빠는 실실거리며 웃었다.

햇살이 잘 드는 선산에 할아버지가 묻혔다.

그날 밤 온 동네 사람들이 마당에 모여 앉아 요란스럽게 술을 마 시고 준비된 음식을 먹었다. 맞다. '요란스럽게 술을 마시고 준비된 음식을 먹었다.' 적어도 내가 보기엔 그랬다. 할아버지가 돌아가셨 는데 할아버지의 칠순 잔치 때처럼 수만 가지의 음식과 여러 종류의 술이 즐비하게 준비되었다. 마당에 퍼질러 앉은 아빠도 걸신들린 사 람처럼 입안으로 음식을 쑤셔 넣었다.

우걱우걱 잘도 처먹는구나...

할아버지가 돌아가셨는데...

저렇게... 잘도 처먹는구나...

나는 이틀 동안 물만 마셨다. 그렇게 해야만 한다고 생각했다. 할 아버지를 땅에 묻고 내 목구멍 안으로 음식을 넘긴다는 것이 죄스러 웠다. 할아버지는 그 작은 요구르트 한 병도 제대로 못 드셨는데...

장례식이 끝나고 친척들이 모두 돌아가고 난 뒤, 49재를 위해 사랑 채에 할아버지의 영정사진과 작은 향이 놓였다. 연서와 어렸을 때 놀 러 가던 절에서 주지 스님과 일만 하던 스님이 극락왕생의 재를 지내 기 위해 내려왔다. 할머니와 나는 염불을 외는 두 분의 스님 뒤에 합장을 하고 앉아 기도를 올렸다.

우리 할아버지 좋은 사람이었으니, 못 배우고 못 살았지만 남에게 피해 주지 않고 가족을 위해 최선을 다했던 사람이었으니, 정말 열심히 살아온 사람이었으니, 제발 부처님... 저희 할아버지 극락 가게 해 주세요. 그렇게 빌었다.

재를 마친 주지스님과 일만 하던 스님이 나의 어깨를 토닥여 주었다. 천 마디 말보다 그 묵직한 손길이 훨씬 위로가 되었다. 모가 났던 마음이 일순 가라앉았다.

스님 두 분이 떠나고 난 뒤 적막해진 집을 할머니와 나는 열심히 쓸고 닦았다. 그저 말없이 저녁 내내 청소를 했다.

그날 밤 할아버지가 누워 있던 자리에 새 이불을 깔고 할머니와 함께 누웠다. 얼핏 할아버지의 냄새가 나는 것도 같았다. 며칠 간의 장례가 끝나고 긴장이 풀려서 인지 금방 잠에 빠져들었다.

자다가 이상한 느낌에 스르르 눈이 떠졌다. 옆에 피골이 상접한 할아버지가 누워 있었다. 너무 놀라 벌떡 자리에서 일어나 앉아 두 눈을 비볐다. 다시 눈을 떴을 땐 새하얀 두루마기를 걸친 할아버지가 환하게 웃으며 내 앞에 앉아 있었다. 내가 알던 그 모습 그대로, 살이 빠지기 전의 건강하던 그 모습, 검은 머리를 정갈하게 빗어 넘긴 그 모습 그대로 말이다.

어안이 벙벙해진 나는 떠듬떠듬 입을 열었다.

"할아.. 버지.."

할아버지 몸에서 하얀색 빛이 뿜어져 나와 일렁거렸다. 환하게 미소를 짓던 할아버지가 말했다.

"소희야, 할아버지는 이제 하늘나라로 갈란다. 잘 살아라이."

번쩍, 두 눈이 떠졌다.

동이 트기도 전인 이른 새벽이었다. 꿈이었나? 현실과 혼동이 될 정도로 선명한 꿈에 잠시 머리가 어지러웠다.

벌써 일어나 염주를 들고 기도를 하고 있던 할머니에게 꿈 이야기를 했다. 할머니는 내 손을 잡고 펑펑 울었다.

"죽은 사람은 원래 꿈에서 말을 안 한다. 그런데 할아버지가 니를 너무 사랑해서 마지막 말이 하고 싶었는 갑다. 할아버지가 하늘나라로 간다 카드나? 할아버지 얼굴이 좋아 보이더나?"

그렇다고 대답하자 할머니는 염주를 부여잡고 한참 부처님께 기도를 올렸다. 우리 영감 극락 가게 해줘서 고맙다고, 한평생 고생만 하다가 불쌍하게 간 우리 영감 극락 가게 해 줘서 감사하다고, 울며 기도를 올렸다.

그 이후로 나는 할아버지 꿈을 단 한 번도 꾸지 않았다. 그때 그 꿈은 아직도 어제 일어난 일처럼 생생하게 기억이 난다.

할아버지의 온화한 미소와 몸에서 오묘하게 흘러나오던 하얀 빛. 새하얗고 깨끗한 두루마기와 대조를 이룬 할아버지의 새까맣던 머리카락까지.

할아버지, 우리 할아버지.
태산보다 높고 컸던 할아버지를 나는 그렇게 떠나보냈다.

빨간 벽돌집

5. 나의 15살. 나는 엇나가는 아이였다.

할아버지가 돌아가시고 휑해진 시골집은 음산할 정도로 조용했다. 점차 생각과 태도가 삐뚤어지기 시작했던 나는, 그저 시간의 흐름에 따라 15살이 되었고 중학교 2학년이 되었다.

알 수 없는 패배감과 자기혐오가 싹트기 시작했고 모든 것에 화가 나고 짜증이 났던 나는 집에선 불필요한 말을 하지 않았다. 학교에서 있었던 일, 학교에서 무엇을 배웠고 친구들과 무엇을 하고 놀았으며 시험이 언제인지, 성적이 어떤지 그런 불필요한 말들 말이다.

겉과 속이 따로 노는 사람처럼 학교에선 친구들과 웃고 떠들었지만 집으로 돌아오면 그 가면을 벗어버렸다. 애써 밝은척할 필요도 없었고 삶의 매 순간이 흥미로운척할 필요도 없었기 때문이었다.

나보다 더 할머니는 할아버지의 죽음을 힘들어했다. 몰래 혼자서 우는 날이 많았고 할아버지가 묻힌 선산을 멍하게 바라보는 횟수도 날이 갈수록 늘어났다.

현실이 지긋지긋해도 나는 학교에 가야 했고 죽을 듯이 힘들고 슬퍼도 할머니는 일을 해야 했다.

평생 할아버지와 함께 지어오던 농사일을 혼자서 시작한 첫해였기에 할머니는 무척이나 힘들어했다. 고모들이 땅을 팔라고 권유도 했지만 한사코 거부했다. 나중에 내가 대학 갈 때 땅이라도 있어야 등록금을 낼 수 있지 않겠냐며 절대 팔 수 없다고 했다.

그때 땅을 팔았더라면...
그랬다면 좀 달라졌을까...

내 나름 농사일을 돕는다고 도왔지만 할아버지의 빈자리를 채우기는 역부족이었다. 그나마 경지정리를 한 덕분에 기계로 농사를 짓는 것이 가능했지만 콤바인을 가진 집이 4-5개의 동네를 통틀어 한두 집 정도밖에 안되었기에 부탁하는 일도 보통 눈치가 보이는 게 아니었다. 하루 일당도 많이 줘야 한다며 할머니는 심심찮게 불만을 토로했다.

어찌어찌해서 봄의 모내기와 여름의 물과의 전쟁을 거쳐 가을의 추수까지 마무리 지었다.

새벽 서리가 내리는 11월, 할머니는 살고 있던 오래된 집을 허물고 수중에 겨우겨우 모아두었던 500만 원의 거금을 들여 빨간 벽돌집을 짓기로 했다. 동네 거의 모든 집이 양옥집으로 바뀐지 꽤 된 데다 할아버지가 돌아가시고 난 뒤 땔감용 나무를 구하는 것도 보통 일이 아니었기 때문이었다. 우리 동네와 아랫동네에 새집을 여러 채 지은 아저씨가 있었는데 그 아저씨가 야무지게 일을 잘하는 데다 아랫동네의 누구누구의 아들이라 믿을만하다고 했다. 삼촌의 동창이라고 했던 것도 같은데 정확히 기억나지는 않는다.

공사 날짜가 잡히고 할머니와 나는 거의 일주일 내내 할아버지가 피를 토했던 빈집으로 짐을 옮겼다.

며칠 뒤, 내가 태어나고 자란 집이 커다란 포클레인에 무너지고 열댓 명의 일꾼들이 말끔하게 건물 잔해를 치웠다. 횅해진 집터에 마음이 울렁거렸다. 대 빗자루로 바닥을 쓸던 할머니가 중얼거렸다.

"느그 할배하고 내하고 부산에서 여기로 이사와서 한평생을 이 집에서 살았다 아이가..."

다음 날부터 본격적인 공사에 들어갔다. 아저씨는 인부들과 점심시간이 되면 내가 다니던 중학교 근처에 있던 식당으로 가 식사를 할 테니 오전 9시나 10시쯤이 되면 중참만 챙겨달라고 했다. 미리 집을 지었던 동네 할머니들에게 듣기도 했고 남에게 일을 부탁할 때 중참을 챙겨주는 건 기본적으로 해왔던 것이라 할머니는 흔쾌히 그러겠다고 했다.

겨울방학이 시작되고 나는 매일 공사장으로 가 허드렛일을 하거나 할머니의 중참 준비를 도왔다.

일주일 정도의 시간이 흘렀을까, 한창 공사장에서 빗질을 하던 할머니가 갑자기 바닥에 주저앉았다.

"아이고... 내가 와 이라노... 머리가 빙글빙글 돈다..."

주저앉은 할머니가 바닥으로 쓰러졌다. 놀란 나는 반대쪽에서 일을 하던 아저씨를 급히 불렀다. 허옇게 질린 얼굴과 축 늘어진 할머니의 모습에 할아버지의 마지막 모습이 겹쳐졌다. 가슴이 덜컹 내려앉았다. 아저씨는 인부들의 도움을 받아 급히 할머니를 차에 태워 병원으로 향했다.

아저씨에게서 전화가 온 것은 몇 시간이나 지난 뒤였다. 30분 정도 떨어진 개인병원을 먼저 들렀는데 바로 큰 병원으로 가보라고 해서 진주 시내에 있는 종합병원 응급실로 갔다고 했다. 할아버지에게 비위관삽관을 하겠다고 난리를 치던 바로 그 병원이었다. 갑자기 알 수 없는 짜증이 밀려들었다.

급성 뇌졸중 진단을 받은 할머니는 당분간 병원에 입원해 있어야 한다고 했다. 아저씨가 할머니 병실과 전화번호를 알려주었다. 아저씨와 통화를 끝내고 바로 그 번호로 전화를 했다. 6인실의 보호자 한 명이 전화를 받아 할머니를 바꿔주었다.

"여보시오? 소희가?"

할머니의 목소리를 듣자마자 목이 메었다.

"내는 괜찮응께 아무 걱정 하지 마라이! 소여물 챙기 주는 거 까묵지 말고."

"……"

"혼자서 잘 수 있긋나? 무서버서 못 자긋스모 저번처럼 근네 할매 집이나 연서 집에 가서 같이 자라. 알긋나?"

소여물은 이미 챙겨줬고 혼자서 잘 수 있다고 짧게 대답했다.

"내일 일꾼들 중참도 챙기주야 되는데… 할 수 있긋나? 내가 내일 아침에 근네 할매한테 전화해서 부탁할 낀께, 할매가 시키는 대로 그리 해라이."

할머니와 통화를 끝내고 고모 네 명과 삼촌에게도 전화를 해 소식을 전하고 병실 전화번호를 알려주었다.

그날 처음으로 집에서 혼자 잠을 잤다. 밤새 문풍지를 흔들어대는 바람 소리에 온몸이 떨렸다. 너무 무서웠지만 다른 사람 집에 가서 자고 싶지는 않았다.

다음 날부터 일꾼들의 중참은 내 몫이었다. 할 수 있는 요리라고는 라면과 김치볶음밥밖에 없었던 나는 계속해서 라면만 끓여서 일꾼들에게 가져다주었고, 가끔 동네 할머니들이 와서 도와주는 날은 김치국밥을 만들어 주기도 했다. 일꾼들은 매일 똑같은 음식이 질린다며 나중에는 거의 먹지 않았지만 다른 방법이 없었다.

고혈압과 동맥경화, 급성 뇌졸중으로 입원해 있던 할머니가 이 주만에 퇴원했다. 할머니는 집에 돌아와서도 기운이 없어 거의 방에 누워만 있었다.

한 달여의 시간이 지나고 집이 완성되었다.

좋았다. 더 이상 군불을 지피지 않아도 되었고 추운 겨울에 물을 데워 밖에서 목욕을 하지 않아도 되었다. 기름값이 비싸 보일러를 거의 돌리지 못하고 전기장판에 의존했지만 그래도 좋았다.

할아버지가 새 집에서 하루라도 살다가 가셨으면 얼마나 좋았을까. 산에서 장작을 구해와 군불을 지피지 않아도 되고 수도꼭지를 틀면 뜨거운 물이 나오는 이곳에서 하루만이라도 살다가 가셨으면 얼마나 좋았을까.

할머니와 나는 서로 말은 하지 않았지만 같은 생각을 했던 것 같다.

"느그 할배가 참 좋아했을 긴데... 평생을 나무 해온다꼬 그 고생을

85

했는데... 이리 좋은 집에서도 한번 살아 보도 못하고... 머시 급하다꼬 그리 빨리 갔을꼬..."

　새집으로 들어간 첫날, 할머니는 안방의 깨끗한 벽지 위에 못을 박고 할아버지의 영정사진을 걸었다.

느그 할매 완전 거렁뱅이라매?

6. 나의 16살. 나는 엇나가는 아이였다.

중학교 3학년, 고등학교를 실업계로 가는 아이들과 인문계로 가는 아이들로 작은 교실이 나누어졌다. 절반이 넘는 친구들이 가정 형편 때문에 실업계로 가서 최대한 빨리 취업을 하고 싶어 했다. 나는 국어 국문과나 문예 창작가를 가서 작가가 되고 싶었기에 실업계는 가기 싫었지만 집안 사정상 인문계 고등학교나 대학 같은 덴 아예 못 갈 수도 있다는 각오는 진작에 하고 있었다.

1학기가 끝나갈 때쯤 할머니가 물었다.

"니 인문계 갈 성적은 되나?"

중학생이 되면서 공부는 뒷전이고 친구들과 어울리거나 남자 아이돌 그룹 테이프만 주야장천 들었으며 1학년 때 갈매기의 꿈을 읽은 이후로 교실에 비치되어 있던 클래식 소설은 거의 다 읽었을 정도로 온종일 책만 읽었기에 학교 성적은 엉망이었다.

"인문계 갈 성적은 된다."

실업계를 가기 싫어 중학교 2학년 말부터 틈틈이 공부를 해서 3학년 1학기 때는 그래도 겨우겨우 인문계를 갈 수 있을 정도까지 성적을 올렸기 때문이었다.

"그라모 인문계 가라. 요새는 대학 안 가는 사람 없단다. 여자도 다 대학 가서 공부해가 출세도 하고 돈도 많이 벌고 그란다카대. 니도 인문계 가서 대학가라. 할매가 땅이든 소든, 뭐라도 팔아서 대학 보내 줄 낀게 인문계 가서 공부 열심히 한번 해 바라."

다음 날 선생님과 진학상담에서 나는 인문계를 가겠다고 했다. 선생님은 지금 성적이면 충분히 가능하지만 안전하게 합격을 하려면 조금 더 성적을 올려야 한다고 했다. 그날부터 읽고 있던 모든 책을 접고 수업에 집중했다. 성적이 안 돼서 인문계를 갈 수 있는 기회를 내 발로 차버리고 싶지 않았다. 대학에 가고 싶었고 작가가 되고 싶었다. 실업계를 가도 대학을 갈 수 있다는 걸 알고 있었지만 실업계를 들어가는 순간 대학은 내 인생에서 사라져 버릴 것만 같은 막연한 불안감에 더 절실하게 인문계를 가고 싶었다.

여름방학이 끝나고 2학기가 시작되자 교실은 극단적으로 양분화되었다. 인문계로 진로를 정한 아이들은 고입 입시 카운트다운을 세며 초조하게 공부를 시작했고 실업계로 진로를 정한 아이들은 수업 시간에도 쉬는 시간에도 떠들고 놀았다.

신경이 곤두설 데로 곤두선 나는 그 아이들에게 조용히 하라고 소리를 내질렀다. 극명하게 나의 성격이 드러나는 순간이었다.

남에게 피해 주는 것도 싫었지만 내가 누군가로부터 피해를 입는다고 생각하면 감당하기 힘든 분노가 치밀어 올랐다. 내가 세운 계획과 방향이 누군가에 의해 실패하거나 틀어질지도 모른다는 불안은 온전히 나 자신에 대한 불신에서 비롯된 것임을 그땐 알지 못했다.

그날부터 나를 향한 실업계 아이들의 왕따가 시작되었다. 인신공격적인 욕설과 조롱 섞인 농담, 어쩔 때는 내 가방과 책을 발로 차고 집어 던지기도 했다. 3학년 2학기 때부턴 자리를 정해놓고 앉는 것이 아니라 아침에 일찍 오는 순서대로 자신이 원하는 자리에 앉았었는데 중학교 1학년부터 나와 짝지었던 기연이는 그 일이 있은 뒤 다른 아이와 짝을 지어 앉기 시작했다. 기연이도 실업계로 진로를 정했기 때문이었다.

남녀 합반이었지만 남학생은 남학생끼리, 여학생은 여학생끼리 앉았었는데 남녀 모두 홀수였기에 교실 제일 뒤쪽에 혼자 앉는 자리가 하나씩 있었다. 그곳에 앉을 까도 생각했지만 선생님과 거리가 멀어 수업에 집중할 수 없을 뿐 아니라 교실 뒤쪽으로 지나다니는 아이들이 많아 공부에 방해가 될 것 같았다. 그래서 나는 오히려 더 빨리 학교에 도착해 버젓이 내가 원하는 자리에 앉았다. 제일 늦게 오는 아이가 혼자 앉겠지라고 생각하며 말이다.

친구들의 왕따는 계속되었고 나는 철저하게 그 아이들을 무시했다. 내가 반응이 없자 아이들의 인신공격 수위는 날이 갈수록 높아졌다. 뒤에 앉아 내 의자를 발로 차기도 하고 내 머리 위로 물건을 집어 던지기도 했다. 대부분이 유치원부터 국민학교, 중학교까지 같은 학교를 다닌 아이들이었기에 나의 가정사를 뻔히 알고 있었던 아이들은 나의 할머니까지 조롱하기에 이르렀다. 그중에서 특히나 집요하게 나를 공격하던 아이가 하나 있었는데 그 아이가 한날은 내 의자를 뒤에서 발로 차며 비아냥거렸다.

"야! 엄마, 아빠 없이 커서 그렇게 싸가지가 없나? 어? 씨발, 느그 할매도 완전 거렁뱅이라매?"

할머니에 대한 이야기가 나오자 꼭지가 돌아버린 나는 그대로 자리에서 일어나 죽일 듯이 그 아이를 노려보며 쏘아붙였다.

"야 이 씨발년아!! 그 입 안 닥치나? 느그 아빠는 다방에 있는 여자랑 바람 나서 싸돌아다닌다매? 니는 뭐가 그리 잘났다고 지랄인데? 씨발년이!!"

얼굴이 벌겋게 달아오른 그 아이는 이 세상의 모든 욕을 한꺼번에 퍼부으며 당장이라도 내 머리채를 잡아챌 듯 달려들었다. 나도 못지않게 쌍욕을 퍼부으며 악을 썼다.

사실이 아니었다면 그 정도로 화가 나지 않았을 것이다. 하지만 사실이었다. 지독하게 가난해서 나 스스로도 우리 집은 거렁뱅이 집안이라 생각했으니 말이다. 차비가 없어 매일 학교를 왕복으로 걸어 다녔고 너무 추워서 걸어 다니기 힘들 때는 십 원짜리를 모으고 모아서 버스비를 냈다. 더운 여름 친구들이 아이스크림을 사 먹을 때도 나는 입맛만 다시고 있었으니, 정말로 거렁뱅이가 맞았다. 그래서 더 화가 났다.

어떻게 싸움이 마무리됐는지 기억나지 않는다. 너무 흥분한 상태로 서로를 향해 욕을 퍼붓고 친구들이 뜯어말렸던 것 같다.

그 후 교실 분위기는 더욱더 아슬아슬해졌지만 나를 향해 직접적인 인신공격을 해오는 아이는 없었다. 꼬잔한 눈 흘김과 구시렁거림, 무시와 외면은 여전히 존재했지만 나는 별로 개의치 않았다.

실업계를 가기 싫다는 생각 하나로 수업에 집중했으며 공부하는 방법을 몰라 요령은 없었지만 최선을 다해 성적을 끌어올리려 애썼다.

11월쯤이었던 걸로 기억된다. 고입 입시를 치렀다. 진주 시내에 있는 인문계는 마산에 있는 인문계보다 성적이 조금 더 높았기 때문에 안전하게 마산으로 희망 학교를 썼다. 1 지망 마산 제일여고, 2 지망 마산 여고, 그리고 3 지망으로 마산 성지여고. 가게 될 학교는 뺑뺑이를 돌려 결정된다고 했다.

얼마 후 나는 내가 1 지망으로 썼던 마산 제일여고에 합격했다는 연락을 받았다. 연서도 마산 제일여고에 합격했다고 했다. 그리고 3학년 2학기 내내 제일 늦게 학교에 와서 교실 뒤쪽에 혼자 앉았던 친구 미혜는 마산 여고에 합격했다고 했다.

할머니는 나에게 잘했다고 장하다고 말하며 무척이나 기뻐했다. 태어나서 처음으로 치러 본 큰 시험이었고 무언가를 노력해서 얻은 첫 성과였다.

죽기보다 싫었던 아빠와의 동거가 시작되었다

7. 나의 17살(_1). 나는 엇나가던 아이였다.

고등학생이 된 나는 마산으로 이사를 했다.

마산 제일여고 정문에서 채 1분도 걸리지 않던 곳에 작고 허름한 월세방을 하나 구했다. 노부부가 운영하던 월셋집은 추가로 돈을 내면 아침과 저녁을 제공한다고 했지만 월세도 겨우 낼 형편이라 그건 하지 않겠다고 했다.

짐을 모두 옮기고 할머니와 나란히 앉아 하얀 쌀밥에 김치와 계란 프라이로 점심을 때웠다. 가축들 때문에 바로 시골집으로 가야 했던 할머니를 기차역까지 배웅했다. 할머니가 기차에 오르며 내 손을 잡았다.

"똑띠 잘해라이! 문 단디 잘 잠그고 모르는 사람이 말 걸거등, 고마 모른다 카고 얼른 도망치고. 알긋나?"

말없이 고개를 끄덕였다.

그날 밤 텔레비전도 없는 적막하고 어두운 자취방에서 밤새 서럽게 울었다. 심야전기가 들어오는 따뜻한 방은 한기가 들 만큼 춥게 느껴졌고 공기 중에 맴도는 생경함은 나의 불안과 두려움을 몇 배로 증폭시켰다.

할머니의 품을 떠나 처음으로 혼자만의 공간에 덩그러니 떨어져 버린 나는 지극히 하찮고 쓸모없었다. 구역질이 날 정도로 무능력한 나의 현재가 쓰리고 아파 넘쳐 오르는 눈물을 참을 수가 없었다.

며칠 뒤 입학식. 새 교복을 입고 떨리는 마음으로 학교로 향했다. 한 학년에 16반까지 있는 거대한 학교는 커다란 운동장이 신입생으로 가득 들어찼다.

1학년 10반, 선생님이 지정해 주는 자리에 앉아 처음 보는 짝지와 인사를 했다. 착해 보이는 짝지는 나를 향해 다정하게 웃어주었다. 다행이다 싶었다.

조금씩 학교생활에 적응해 갔다. 마산에 사는 아이들이 대부분이었고 나처럼 멀리 사천이나 함안, 진영 같은 곳에서 온 아이들도 있었다. 비싸 보이는 가방과 신발, 학용품과 다이어리, 금 팔찌에 금반지를 한 아이들도 간혹 보였고 딱 봐도 귀티가 흐르는 데다 예쁘고 날씬한 아이들도 심심찮게 눈에 띄었다. 시골에서 늘 보던, 거의 16년을 매일같이 봐오던 아이들과는 차원이 다른, 나와는 전혀 다른 세상에서 사는듯한 아이들은 시종일관 반짝반짝 빛이 났다. 나는 다시 가면을 썼다. 세련된 도시 아이들 틈에서 재미있는 척, 신나는 척 가면을 쓰고 나의 본래 모습을 숨겼다. 굳이 내 속내를 드러낼 필요도, 그럴 이유도 없다고 생각했다. 적응하는 듯했지만 겉돌았고 즐거운 듯했지만 마음이 시렸다. 연서와는 같은 반은 되지 못했지만 오며 가며 마주칠 때면 동지를 만난 듯 반가웠고 괜히 위로가 되었다.

새 학기가 시작되고 한 달쯤 지났을까, 학교를 마치고 집에 돌아오니 아빠가 내 자취방에서 짐을 풀고 있었다. 순식간에 말로 표현할 수 없는 짜증과 분노가 밀려왔다.

"뭔데?!!"

"가시나가 아빠를 오랜만에 봤으모 인사부터 해야 될 거 아이가! 말하는 꼬라지 봐라!"

등에 매고 있던 가방을 집어던졌다.

"뭐냐고? 왜 니가 여기서 짐을 푸는데!!!"

들고 있던 옷가지를 집어던진 아빠는 솥뚜껑 같은 손을 추켜올리며 단숨에 나를 향해 달려왔다.

"니? 지금 니라고 했나? 이 싸가지 없는 년이 아빠한테, 뭐? 니??"

마당에 주인 할머니가 나와있는 걸 확인한 아빠는 막상 나를 때리지는 못했다.

"아빠 좋아하네. 나는 그런 거 없거든. 왜 남의 자취방에 와서 지랄인데!!!"

보는 눈과 듣는 귀가 있어 아빠는 더 이상 내 말에 대꾸하지 않았고 그저 거칠게 옷가지와 자신의 물건들을 작은 자취방 여기저기에 풀어 놓기 시작했다. 너무 화가 나서 눈앞이 빙빙 돌고 온몸이 벌벌 떨렸다.

집에서 뛰쳐나와 공중전화로 할머니에게 전화를 했다.

"아빠가 택시 운전을 하는데... 당장 지낼 데가 없단다. 금방 방 구해서 나간다 카니까 쪼맨만 같이 있어라."

"내가 왜?!! 아악-!!! 내가 왜 그래야 되는데! 내가 왜 저 인간이랑 같이 있어야 되냐고? 좁아터진 자취방에서 내가 왜 저 인간이랑 같이 살아야 하냐고!!!!"

할머니는 나를 어르고 달랬다. 그래도 아빤데... 갈 데가 없다고 하는데 어쩌겠냐... 그래도 이제 마음잡고 택시 운전해서 또박또박 월급도 받을 거니까 조금만 이해를 해라...

공중전화 수화기를 집어던지듯 거칠게 내려놓은 나는 넘치는 화를 주체하지 못하고 그 자리에 서서 악을 쓰며 울었다.

저 인간 말종과 좁은 자취방에서 함께 살아야 한다니...

죽기보다 싫었다.

미친 듯이 울부짖었지만 아무것도 변하지 않았다.

그대로 정처 없이 걷고 또 걸었다. 학교와 집, 그 외엔 아는 곳도 없었고 갈 데도 없었다. 무엇보다 수중엔 땡전 한 푼 없었다.

가출을 하고 학교를 가지 말까도 생각했었다. 다방에서 일을 하면 돈을 많이 번다고 어디선가 들었던 것도 생각났다. 하지만 할아버지와 할머니 얼굴이 떠올라 차마 그러지 못했다.

다시 집에 들어갔을 땐 밤 11시가 넘은 시각이었다. 자취방의 불은 모두 꺼져 있었고 아빠는 코를 골며 자고 있었다. 나는 거칠게 문을 열고 방안의 불을 환하게 밝혔다. 잠에서 깬 아빠가 불을 끄라고 소리를 질러 댔지만 나는 아랑곳하지 않고 그 시간에 라면까지 끓여 먹었다.

네가 이기나 내가 이기나 해보자 하는 심정으로.

그렇게 아빠와의 지옥 같은 동거가 시작되었다.

촌에서 와가꼬 이런 걸 한 번도 못 먹어봤는 갑네

8. 나의 17살(_2). 나는 엇나가는 아이였다.

작은 자취방에서 아빠와 함께 살기 시작한 뒤 나는 심각하게 삐뚤어지기 시작했다. 모든 순간이, 숨을 들이마시고 내쉬는 그 모든 찰나가 지옥이었고 고통이었다. 좁은 공간에서 인간 같지도 않은 사람과 함께 공존한다는 것 자체가 치욕이었고 그런 상황에서 살겠다고 숨을 쉬고 밥을 먹는 나라는 존재도 극도로 혐오스러웠다.

택시 운전을 한답시고 새벽부터 일어난 아빠는 방구석에 주저앉아 입이 터질 정도로 음식을 집어넣어 경망스럽게 씹어 댔다. 아빠 입안에 든 음식이 으깨진 바퀴벌레처럼 보였다.

"아... 씨발. 조용히 좀 처먹지?!"

순식간에 숟가락을 집어던진 아빠가 자리에서 박차고 일어나 내 머리를 거칠게 후려쳤다.

"이 썩을 년이! 어디서 아빠한테 그딴 말을 하노!"

"왜 때리는데? 니가 뭔데 때리는데? 니가 나한테 해준 게 뭐 있다고 때리냐고! 악!!!!"

집안의 물건을 집어던지며 아빠를 향해 악을 썼다.

자취방의 얇은 유리문 너머로 나의 고함소리가 쩌렁쩌렁 울리자 주인집 할머니가 무슨 일 있냐며 밖에서 노크를 했다. 마산 남고에 다니던 남학생 두 명도 그곳에서 자취를 하고 있었는데 아침식사를 하다가 큰일이 난 줄 알고 주인집 할머니를 따라 나와 문 앞에 서 있었다.

책가방을 거머쥔 나는 아무런 말 없이 거칠게 그 사이를 뚫고 집을 나와버렸다. 아빠의 목소리가 등 뒤로 어렴풋이 들렸다.

"아이고, 아무 일 아입니다. 허허. 저 가시나가 공부도 안 하고 학교에서 하도 문제를 많이 쳐가 제가 좀 뭐라 했습니다. 아침부터 죄송합니다이."

주인집 할머니를 향해 사람 좋은 목소리로 변명을 늘어놓는 아빠가 가증스러워 온몸에 소름이 돋았다.

너무 이른 시간에 집에서 나온 나는 마땅히 갈 곳이 없어 곧장 학교로 향했다. 새벽 6시를 겨우 넘긴 시각, 경비 아저씨가 반갑게 인사를 건넸다.

"벌써 학교를 왔나? 아이고, 모범생은 역시 다르네~ 공부 열심히 해라이!"

모범생...? 내가 모범생처럼 보이나...?

그날 같은 반의 껄렁한 아이들을 유심히 관찰했다. 얇게 다듬은 눈썹에 귀밑 3 cm 이상 기른 머리, 타이트하게 수선을 한 교복까지.

학교를 마치자마자 학교 근처에 있던 수선집으로 향했다. 교복 재킷을 수선하는데 만 오천 원, 치마를 수선하는데 칠천 원, 두 가지를 함께 수선하려면 하루, 이틀은 걸리니 주말에 가져오라고 했다. 다이어리 깊숙이 숨겨 두었던 삼만 원을 꺼내 써야겠다 생각하며 집으로 돌아왔다. 다행히 아빠는 아직 집에 돌아오지 않은 듯했다.

곧장 거울 앞에 앉아 눈썹을 다듬었다. 실타래처럼 얇아진 눈썹이 꽤 만족스러웠다.

다음 날은 일부러 지각을 했다. 주임 선생님에게 손바닥을 한 대 맞고 교실로 향했다. 모범생처럼 보이고 싶지 않았기에 제법 괜찮은 시작이라 생각했다.

주말, 수선집에 교복을 맡겼다. 선도부에게 들키지 않도록 교묘하게 수선을 해주겠다며 믿고 맡기라던 수선집 아주머니의 말이 허풍은 아니었다.

몸에 달라붙게 줄어든 교복을 입고 또다시 지각시간에 맞춰 학교로 향했다. 선도부 주임 선생님은 따로 체벌은 하지 않고 다들 책상, 걸상을 옮기느라 바쁘니 빨리 교실로 가라고 했다. 당시 마산 제일여고 2학년 건물을 새로 짓고 있었는데 공사 때문에 교실마다 비치된 책걸상을 다른 건물로 옮겨야 했다.

1학년과 2학년, 총 32개의 반 아이들 모두가 아침 자율학습 시간을 이용해 교실 비품을 옮기고 청소를 했지만 커다란 건물 세 개를 이어 주는 조잡하고 좁은 철제 계단으로 물건을 옮겨야 했기에 생각보다 시간이 오래 걸렸다. 아침 자율학습 시간에 일을 마무리하지 못해 오전, 오후 수업이 전부 끝나고 집에 가기 전에 또 한 번 책걸상을 옮겨야 했다.

짝지였던 지효가 걸상을 들고 철제 계단을 먼저 내려가고 나도 걸상을 들고 뒤따랐다. 발아래를 살피며 조심스레 내려가는데 갑자기 지효의 비명소리가 들렸다. 교무실 쪽으로 이어진 길고 가파른 계단에서 발을 헛디뎌 계단 아래로 굴러떨어진 것이다. 지효의 턱에서 피가 철철 흘렀다. 급히 담임선생님을 불렀다. 양호실로 옮겨진 지효는 곧바로 근처 병원 응급실로 향했다. 그곳에서 찢어진 턱을 7 바늘 꿰맸다. 군데군데 찰과상이 입었지만 치료할 정도는 아니라고 했다.

두툼한 거즈를 턱 아래 붙이고 병원을 나온 그녀를 담임 선생님은 집까지 태워주겠다고 했다. 학교 근처에 있던 병원이라, 나는 걸어서 집으로 가겠다고 인사를 건네는데 지효가 내 손을 잡았다.

"소희야, 우리 집에 가서 저녁 먹자. 우리 엄마한테 제일 비싸고 맛있는 거 해달라고 할 테니까 같이 가자."

"어? 아, 아니... 나는 괜찮은데..."

"그라지 말고 같이 가자? 응? 계속 내 옆에 있어줘서 고마워서 그러니까, 저녁 먹고 집에 가라. 응?"

담임 선생님도 함께 가자며 나를 부추겼다. 빠져나가기엔 그럴싸한 변명거리도 없었고 한사코 거절하기에도 무례한 구석이 있어서 어쩔 수 없이 담임 선생님의 차에 올랐다.

지효의 집에서 저녁 식사를 할 것이라는 예상과는 달리 도착한 곳은 커다란 복어 전문 식당이었다. 그녀의 손에 이끌려 식당 안으로 들어서자 곱게 화장을 한 아주머니가 달려와 지효를 꼭 끌어안았다.

"아이고! 내 예쁜 딸. 우짜다가 다쳤노? 엄마가 전화받고 얼마나 놀랐는지 아나? 선생님이 응급실에서 퇴원 수속을 하면서 전화를 하시가 엄마가 못 갔다 아이가. 사고가 났을 때 바로 전화를 했으모 갔을 낀데!"

지효의 엄마는 선생님을 잠시 원망스럽게 바라보았으나 그녀가 괜찮은 걸 확인하고 안심이 된 것인지 선생님에게 더 캐묻지는 않았다.

우리를 빈 테이블로 안내한 아주머니는 꼼꼼하게 지효의 상처를 확인하고 몸 여기저기 찰과상도 빈틈없이 확인한 뒤 나를 유심히 살폈다.

"그런데, 니는 누고?"

지효가 아주머니의 품에 안기듯 엉겨 붙으며 입을 열었다.

"엄마, 내 짝지. 내가 다쳤을 때부터 계속 옆에 있어줘서 고마워서 같이 왔어."

"아이고, 그랬나? 짝지가? 착하네. 고맙다이! 이름이 뭐꼬?"

꾸벅, 아주머니에게 인사를 하고 내 소개를 했다.

넓은 테이블 위에 여러 가지 밑반찬이 놓이고 가운데 있던 가스레인지 위에 복어와 각종 채소가 들어간 커다란 냄비가 올려졌다.

아주머니는 음식이 놓이는 동안 나에게 여러 가지 질문을 했다. 어디에 살고 있냐, 부모님은 뭐 하시냐, 지효와는 사이좋게 지내느냐, 공부는 잘하느냐, 좋아하는 과목이나 좋아하는 선생님이 있느냐.

나는 다 기어들어가는 목소리로 대충 지어내어 대답했다. 부모님은 진주의 외딴 시골에서 농사를 짓고 계셔서 지금은 학교 근처에서 혼자 자취 중이며 지효와 짝지가 되어서 기쁘고 공부는 그냥 중간 정도라고 말이다.

혹시나 내가 머리가 반쯤 돌아 나의 가정사를 사실대로 모두 이야기한다면 지금의 화기애애한 분위기는 순식간에 어색해질 것이 분명했기에 그럴싸한 거짓말로 얼버무리는 게 낫다고 생각했다.

생선을 좋아하지 않았던 나는 밑반찬을 곁들여 깨작거리듯 식사를 했다.

"와? 맛이 없나? 복어살이 탱글탱글하니 맛있다. 한번 무바라."

아주머니는 직접 복어 살을 발라 내 밥그릇 위에 올려 주었다. 어쩔 수 없이 입안으로 가져갔지만 내 입맛에는 맞지 않았다. 내 표정을 읽은 지효의 엄마가 어딘가 거슬린다는 어조로 말했다.

"니가 촌에서 와가꼬 이런 걸 한 번도 못 먹어봤는 갑네."

갑자기 얼굴이 화끈 달아올랐다. 복어를 그때 처음 먹어본 건 사실이었다. 늘 값이 싼 고등어나 먹었었지 그렇게 비싼 생선은 먹어본 적 없었다.

내 속을 아는지 모르는지 맞은편에 앉아 있던 지효가 내 국그릇에 국을 떠주며 말했다.

"소희야, 국물이랑 같이 무라. 우리 엄마 복어국 진짜 맛있다."

턱이 아파 음식을 씹지 못하겠다며 그녀는 밥을 먹지 않았지만 줄곧 테이블 앞에 앉아 선생님과 나의 식사를 챙겼다. 살갑고 정이 많은 아이였다.

겨우겨우 식사를 끝내고 지효와 지효 엄마의 배웅을 받으며 선생님과 식당 밖으로 나왔다. 선생님은 혼자 버스를 타고 집으로 가는 방법을 몰라 어물쩍대는 나를 향해 혼자서 집도 못 찾아가냐고 했다. 마산에서 살아본 적이 없어 길을 모른다고 하자 선생님은 자신이 사는 집이 바로 여긴데 나 때문에 다시 학교로 돌아가야 되냐며 구시렁대다 어쩔 수 없이 나를 집까지 태워주었다.

집으로 돌아온 나는 자취방의 문을 닫자마자 그 자리에 주저앉아 목을 놓아 울었다. 나 자신이 너무도 초라하고 불쌍해서 서럽게 울었다.

태어나서 처음 보았다.

엄마의 사랑을 받는 딸의 모습을. 딸을 걱정하는 엄마의 눈빛과 살갑게 엄마에게 엉겨 붙던 딸의 모습을.

아무렇지도 않게 엄마 품에 안기던 지효의 모습을 보며 나는 내 인생에서 단 한 번도 경험해 보지 못한 것이 무엇인지, 앞으로도 절대 경험해 보지 못할 것이 무엇인지 명확하게 알게 되었다.

그리고 태어나서 그렇게 잘 사는 집은 처음 보았다. 다들 가난하게 살던 시골 친구들의 집과는 비교도 할 수 없을 정도로 지효의 엄마가 운영하는 식당은 크고 화려했다. 나에게 없는 것을 지효는 전부 가지고 있었다.

지효가 부러웠고 그만큼 화가 났다.

왜, 왜 나는 저런 인간이랑 이렇게 좁아터진 자취방에서 같이 살아야 하고 왜 지효는 그렇게 좋은 엄마와 좋은 회사를 다니는 아빠와 함께 사는 걸까? 내가 뭘 잘못했기에? 왜 나는 이렇게 형편없는 상황에서 죽기 살기로 버텨야 하는 걸까? 우리 집은 이렇게 찢어지게 가난한데 왜 지효와 지효의 부모님은 부자로 사는 걸까?

누가 가난이 죄가 아니라고 했던가? 가난은 죄였고 수치였다. 적어도 그때의 나에겐 그랬다.

그날 이후 나는 생선을 먹지 않았다. 평소에도 생선을 즐기지 않았지만 그 일이 있은 후에는 아예 생선 자체를 먹지 않았다. 누군가 왜 생선을 먹지 않느냐고 물으면 비려서 못 먹는다, 회 뜨는 걸 보고는 트라우마가 생겨서 못 먹는다고 거짓말을 했다. 15년을 거짓말을 하다 서른이 넘어서야 그때의 상처를 극복하고 생선을 먹기 시작했다. 물론 복어는 절대로 먹지 않았지만 말이다.

무언가 거슬린다는 듯 '촌에서 와가꼬 이런 걸 한 번도 못 먹어봤는 갑네' 라던 지효 엄마의 말이 그렇게 오랫동안 상처가 되리라고는 그땐 생각하지 못했다.

돈은 없었고 갖고 싶은 건 많았다
9. 나의 17살(_3). 나는 엇나가는 아이였다.

계단에서 굴러떨어진 사고 이후로 지효는 더욱 살갑게 나를 대했다. 나도 지효가 좋았고 고마웠지만 극복하기 힘든 괴리감에 점점 그녀가 부담스럽게 느껴졌다. 그녀는 빛나는 보석이었고 나는 구더기가 들끓는 똥통이었다.

우리는 함께 어울려서는 안 될 결이 다른 사람이란 생각에 다가오는 그녀를 계속해서 밀어냈다. 그렇게 지효와는 점점 사이가 멀어졌고 완전히 불량 학생도 아닌 그렇다고 모범생도 아닌 희주란 친구와 가까워졌다.

진한 화장에 머리에 가발을 쓰고 주말이면 술집에 다니는 완전히 까진 아이들과 놀아볼까 생각도 해보았지만 화장품이나 가발을 살 돈도, 술집에 가서 놀 돈도 없었기에 그 아이들과 어울리는 것은 불가능했다. 그렇다고 친구들을 괴롭히며 돈을 뺏는 짓 따위는 하고 싶지 않았고 그럴만한 배짱도 없었다. 적당히 반항기가 있고 적당히 겉돌며 적당히 까진 그런 친구가 바로 희주였다. 꼭 나처럼 말이다.

이것도 저것도 아닌 상태로 희주와 나는 일부러 지각을 했고 일부러 땡땡이를 쳤다. 그날도 같이 땡땡이를 치고 하릴없이 돌아다니다 마산 댓거리에 있는 무료입장으로 향했다. 한참 옷을 구경하고 있는데 희주가 청바지 하나를 들고 급히 피팅룸 쪽으로 나를 끌어당겼다. 함께 피팅룸에 들어간 뒤 희주는 다급하게 문을 걸어 잠갔다.

"이거 봐! 택이 그냥 떨어졌다!"

도난 방지를 위해 청바지에 붙어 있던 택이 느슨했던 탓인지 그녀가 청바지를 만지는데 그냥 떨어졌다고 했다. 놀란 내가 한 손엔 청바지를 들고 한 손엔 도난 방지택을 든 희주의 양손을 번갈아보며 물었다.

"이게 그냥 떨어졌다고?"

"그렇다니까!"

떨어졌으면 다시 붙이던지 옷 가게 점원한테 말을 하면 될 것인데... 왜 피팅룸으로 온 걸까... 그녀가 왜 그렇게 흥분을 하는지 퍼뜩 이해가 안 돼 아리송한 표정을 지었다.

답답하다는 듯 한숨을 내쉰 희주는 들고 있던 청바지를 자신의 가방 안으로 밀어 넣었다. 사방이 막힌 피팅룸에 보는 사람이 없는데도 누가 볼세라 주변을 살핀 나는 사색이 되어 희주의 가방을 잡아챘다.

"니 지금 뭐 하는데?"

"뭐 하기는! 훔치는 거지."

당황스러운 얼굴로 멍하게 서 있는 나를 희주는 다그치듯 재촉했

105

다.

"나가서 청바지 여러 벌 피팅룸 안으로 넣어주라."

"왜?"

"피팅룸에 있다가 입어본 옷을 가지고 안 나가면 의심받잖아. 사이즈 안 맞아서 다른 걸로 입어보는 척할 거니까 나가서 니가 마음에 드는 걸로 세내 개 골라서 가져와봐."

"그러다가 들키면..."

"봐! 아직 가방에 여유 공간 많잖아. 청바지 두세 개는 더 넣어도 티도 안 난다. 걱정하지 말고 가서 가져 온나."

잠시 망설이던 나는 피팅룸 문을 조심스럽게 열어 점원의 위치를 확인한 뒤 재빠르게 청바지가 진열되어 있는 곳으로 갔다. 진즉 봐두었던 청바지 세 개를 골라 얼른 피팅룸 안으로 넣어주곤 아무 일도 없다는 듯 그 앞에 서 있었다.

멀리 티셔츠를 정리하던 점원 언니 한 명이 내가 서 있는 쪽으로 걸어오는 게 보였다. 심장이 얼어붙는 것만 같았다. 그때 마침 희주가 피팅룸 안에서 크게 소리쳤다.

"소희야! 이 청바지가 좀 작은데 한 치수 더 큰 걸로 가져다줄 수 있나?"

옆을 지나가던 점원 언니가 힐끗 나를 쳐다보았다. 최대한 자연스러운 목소리로 대답하려 했지만 목쉰 개구리 같은 희한한 소리가 삐져나왔다.

"어! 자, 잠깐만! 가서 찾아볼게."

서둘러 한 치수 큰 청바지를 찾아 피팅룸 안으로 넣어주었다. 희주는 진짜로 옷을 입어보는 듯하더니 일부러 내가 들으라는 듯 또박또박 말했다.

"이거는 맞는데... 계속 보니까 색깔이 별로 마음에 안 든다. 다른 가게 한번 가보자."

피팅룸에서 나오는 희주의 손에는 청바지 두 벌이 들려 있었다. 총 네 벌의 청바지를 넣어주었는데 손에는 두 벌만 들려 있었다. 우리는 급히 가게를 나와 구석진 골목으로 들어섰다. 주변을 살피던 희주가 가방에서 청바지 두 벌을 꺼내 내게 건넸다.

"이 두 개는 택이 쉽게 떨어지던데 나머지 두 개는 너무 세게 붙어 있어서 안 떨어지더라."

"이걸 왜 나한테 주는데?"

"어? 왜긴? 니 꺼니까 니한테 주지."

"내 꺼? 나 가지라고?"

"그러면? 나한테는 맞지도 않는데 뭘. 두 개 다 니끼다."

갑자기 멍해졌다.

이렇게 쉽게 새 옷이 생긴다고? 이렇게 간단하게?

옷을 산 게 언제인지 기억도 나지 않던 나는 손에 들린 빳빳한 새 옷에 혼이 팔려 버렸다. 내가 무슨 짓을 하고 있는지 자각하지 못하고 공짜로 새 옷이 생겼다는 사실에 흥분했다.

참 쉽네.

이까짓 것.

피식 웃음이 났다.

조소와 비슷하던 웃음은 순식간에 죄책감 없는 충동과 쾌락의 웃음으로 바뀌었다. 내가 웃자 희주도 덩달아 웃기 시작했다. 우리는 배를 잡고 한참을 깔깔거리고 웃었다. 무슨 대단한 영웅담을 이야기하듯 서로의 환상적인 연기 실력을 칭찬하면서 말이다.

새 청바지 두 벌을 가방 안에 곱게 접어 넣었다.

"내일은 학교에 책 전부 다 놔두고 빈 가방으로 오자. 더 많이 훔치게."

"어. 나도 가르쳐 줘. 택 어떻게 때는지."

"알겠다. 내가 내일 가르쳐 줄게."

희주는 별로 마음에 안 드는 걸 훔치게 되면 친구들에게 헐값에 팔 생각이라고 했다. 아침에 학급비 3천 원 때문에 아빠와 실랑이를 하고 나왔기에 나도 그렇게 해서라도 돈을 벌어야겠다고 생각했다.

미성년자라 어디서 일도 못하고 우리 집은 심각하게 가난했다.

갖고 싶은 건 많은데 돈은 없었다.

그러니 다른 방법이 없었다.

훔치는 수밖에.

작정하고 삐뚤어지기로 했다
10. 나의 17살(_4). 나는 엇나가는 아이였다.

다음 날 아침, 학급비를 걷는 마지막 날이었다.

아침 일찍 일어나 도시락에 넣을 분홍 소시지를 구우며 아빠를 향해 퉁명스럽게 말했다.

"학급비 내야 된다. 3천 원."

험상궂게 인상을 찡그린 아빠는 귀찮아 죽겠다는 듯 되받아쳤다.

"니가 내한테 돈 맡기 났나?"

너무 화가 나 단전을 주먹으로 얻어맞은 듯 숨통이 턱 막혔다.

"니가 오늘 준다메? 일을 하는데 왜 돈이 없는데? 일을 하는데 왜 3천 원도 없냐고!!"

아빠는 손을 들어 올려 금방이라도 내려칠 듯 부들부들 떨었다. 지난번 내 머리를 내려치고 난 뒤 주인집 할머니와 마산 남고 아이들까지 뛰쳐나올 정도로 내가 소리를 지르고 난동을 부렸기에 나름 자제를 하는 듯했다.

"칵!! 씨발. 고마 딱 죽이 삐까? 오데서 이리 버릇없는 기 태어났을 꼬. 지 엄마를 쳐 닮아서 그런 기지."

눈도 깜빡이지 않고 아빠를 노려보았다.

빌어먹을 년, 재수 없는 년, 버르장머리 없는 년... 육두문자를 섞어가며 한참 욕을 쏟아내던 아빠는 그대로 집을 나가버렸고 나는 또다시 학급비 없이 학교로 향했다.

반장에게 뭐라고 이야기를 해야 하나... 오늘은 또 어떤 변명거리로 둘러대야 하나... 아무리 머리를 굴려봐도 마땅히 떠오르는 게 없었다. 한두 번도 아니고 매번 학급비를 늦게 냈기 때문에 더 이상 지어낼 거짓말도 없었다. 교복을 수선하느라 지난달에 할머니가 준 돈을 너무 많이 써버린 탓이다. 후회가 물밀듯이 밀려왔다.

그냥 학교를 가지 말까...

교문 앞에 서서 잠시 고민했다. 다시 집으로 돌아가서 그냥 하루 종일 잠이나 잘까. 그러다가 갑자기 아빠가 집에 돌아오면? 그 인간이랑 하루 종일 자취방에 있는 것보단 학교를 가는 편이 나았다. 아니면 시골집에 내려가서 바쁜 할머니 농사일이나 도울까. 할머니가 물으면 개교기념일이라고 둘러대면 되고...

아... 나 돈 한 푼도 없지...

시골에 내려갈 차비도 없다는 걸 알아차리는 순간 생각의 연결고리가 끊어졌다. 더 이상 생각을 이어갈 이유조차 없어진 것이다. 하는 수없이 교문으로 향하는 계단을 터덜터덜 올라갔다. 반장한테는 또 깜빡했다고 말하자...

교실로 향하는 내내 혹시나 반장을 마주치지는 않을까 마음이 조마조마했다. 다행히 교실에서 마주친 반장은 반갑게 아침 인사를 건넬 뿐 학급비 이야기는 하지 않았다. 희주와 눈인사를 하고 아침 자율학습을 시작하려는데 반장이 슬쩍 다가와 담임 선생님이 나를 찾는다고 했다.

'선생님이 나를? 갑자기 왜?'

희주도 갑자기 선생님이 나를 찾는다는 이야기에 놀란 듯 사색이 되었다.

'어제 옷을 훔친 걸 누가 본 건가? 그걸 선생님한테 이야기한 건가? 그런데 왜 나만 찾지? 정작 훔친 건 희주인데?'

떨리는 마음으로 교무실로 향했다. 선생님의 책상 앞에는 반에서 모범생 중의 모범생, 혜정이가 이미 와서 앉아 있었다. 도저히 이해할 수 없는 조합이었다.

'혜정이와 나?'

긴장한 얼굴로 혜정이의 옆에 앉자 선생님이 서류 한 장씩을 건넸다.

"이거 복지 장학금 신청서거든. 느그 둘한테 필요할 것 같아서 선생님이 신청했다."

"복지... 장학금이요?"

"응. 가정 형편이 어려운 아이들한테 학교에서 주는 장학금인데 이번 학기에 30만 원 받을 수 있으니까 제일 아래쪽에 사인하면 된다."

얼마 전에 반 전체 아이들이 선생님과 개인 면담을 했었다. 생활기록부를 살피며 이것저것 묻는 선생님에게 부모님은 이혼했고 할머니는 시골에서 농사를 짓는다고 간단하게 대답했다. 좀 더 깊은 대화 끝에 선생님이 복지 장학금에 대해 언급했었다. 신청해 주길 바라냐는 물음에 선뜻 대답하지 못하다가 그렇게 해달라고 했던 것이 기억났다.

돈이 절실하게 필요했지만 자존심이 상했다. 돈을 구걸하는 것만 같아 수치스러웠다. 나와 달리 혜정이는 망설임 없이 사인을 했다. 나도 그 상황을 빨리 모면하는 게 좋을 것 같아 서둘러 사인을 하고 자리에서 일어났다. 같이 인사를 하고 교무실을 나가려는데 선생님이 나지막이 말했다.

"아! 그리고 느그 둘은 지금부터 학급비 안내도 된다. 반장도 알고 있으니까 걱정하지 말고."

쉬는 시간에 희주가 선생님이 부른 이유를 물었지만 대답하지 않았다. 부끄러워서 말하지 못했다.

오전 수업 시간이 어떻게 지나갔는지 기억나지 않는다. 초여름의 열기 속에 매서운 서리가 내리듯 하루 종일 마음이 서늘했다. 희한하게도 방방 뜨던 마음이 차분하게 가라앉아 깊은 동굴 속으로 숨어드는 것만 같았다.

마침내, 공식적으로 인정한 것이다. 선생님이 건네준 서류에 사인을 함으로써 내가 도움이 필요할 정도로 가난하다는 것을 내 손으로 인정한 것이다. 그전까진 그래도 친구들에게 거짓말이라도 할 수 있었는데 이제는 그럴 수도 없었다.

어떻게든 숨기고 싶었는데...

끝까지 들키고 싶지 않았었는데...

찌그러진 자존심에 감정이 천방지축으로 널뛰었다.

점심시간에 희주와 친구 몇몇이 모여 함께 밥을 먹기 위해 도시락을 열었다. 눅눅해진 분홍 소시지가 초라한 모습을 드러냈다. 자취방 바로 옆에 있던 작은 가게에서 외상으로 가져온 것이었다. 교복을 수선하고 남은 돈으로 라면과 달걀을 샀기에 소시지를 살 돈이 없었다. 집에서는 거의 밥에 김치, 아니면 라면만 먹었고 도시락 쌀 때만 소시지나 햄을 사용했다. 친구들이 보는데 김치만 싸 가는 게 너무 부끄러웠기 때문이었다. 아빠가 알고 있지만 외상값을 갚아 줄 거란 기대는 애초에 없었다. 할머니한테 전화해서 돈을 달라고 하기도 너무 미안했다.

'복지 장학금을 받으면 외상값부터 갚아야지...'

학교를 마치고 희주와 함께 댓거리로 향했다. 가방을 텅텅 비운 채로 말이다. 작정하고 삐뚤어지기로 했다. 될 대로 되라는 심정이었다. 구차하게 숨기려 해봤자 못 사는 티가 줄줄 나는데 뭘. 잘 사는 척은 못해도 평범한 집에 사는 척이라도 해보려 했지만 학급비 3천 원이 없어서 허덕이는데 뭘.

희주와 나는 곧장 무료입장으로 향했다. 도난 방지 택을 떼어내는 방법은 정말 간단했다. 느슨하게 붙어서 금방 떨어지겠다 싶은 걸 그냥 있는 힘껏 잡아당기면 그만이었다. 떼어낸 택은 걸려있는 아무 옷의 주머니에 넣어버리고 훔친 옷은 최대한 작게 접어 가방 안에 숨겼다.

처음에는 택이 느슨하게 달려 있는 옷들을 골라 피팅룸으로 가져가 택을 떼어냈는데 시간이 지날수록 희주와 나는 대범해져 갔다. 피팅룸까지 갈 필요도 없이 진열된 옷 사이에서 택을 떼어내고 보란 듯이 가방 안에 넣었다.

친구들에게 옷을 팔지는 못했다. 옷을 사겠냐고 물어보는 것도 이상했고 팔겠다고 훔친 옷을 바리바리 학교로 싸 들고 오는 것도 이상했기 때문이었다.

옷 가게에서 시작된 도둑질은 편의점, 문구점으로 확장되었다. 학교 안에 있던 편의점에서 그동안 돈이 없어서 사 먹지 못했던 젤리와 초콜릿, 빵 같은 걸 훔쳤고 마찬가지로 학교에 있던 문구점에서 다이어리와 학용품을 훔쳤다. 그중에서 은근히 비쌌던 하이테크 펜과 사쿠라 펜, 다이어리를 꾸밀 스티커, 한창 좋아했던 H.O.T 엽서 따위를 훔쳤다.

조절하지 못했다. 무엇이 옳고 그른지 구분하지도 못했다. 죄책감이나 들킬지도 모른다는 두려움 따위도 없었다. 초라하고 구질구질한 나의 현실을 그렇게라도 보상받아야 한다고 생각했다. 매일매일 반복되는 아빠의 폭력과 폭언에 대한 보상, 손바닥만한 자취방에서 그런 아빠와 함께 지낼 수밖에 없는 것에 대한 보상, 복지 장학금에 의지해 겨우겨우 도시락 반찬을 사고 집에서는 라면밖에 못 먹는 것에 대한 보상, 다 떨어진 가방을 메고 밑창이 덜렁거리는 신발을 신고 다닐 수밖에 없는 것에 대한 보상.

뒤틀리고 떳떳하지 못한 방법으로 애먼 곳에 내가 겪고 있는 고통의 보상을 요구했다.

아빠가 나에게 욕을 할 때마다 나는 보란 듯이 물건을 훔쳤다.

내가 통제할 수 없는 고통 뒤에 내가 지배할 수 있는 쾌락, 연계점이 없는 두 가지가 어떻게든 맞아떨어지니 나의 행동은 정당하다고 믿었다.

모든 것이 혐오스러웠고 모든 것에 화가 났다. 그리고 끝도 없이 엄마를 원망했다. 이 모든 게 나를 버리고 간 엄마 때문이다. 이런 몹쓸 인간에게 나만 남겨두고 도망가 버린 엄마 때문이다. 어떻게 엄마라는 사람이 자식을 버리고 도망갈 수 있나. 고모들이 말했던 게 전부 사실이었다. 나를 가진 걸 후회했었다고 했다. 사랑하지도 않았고 일말의 정도 없었다고 했다. 한번 찾아와서 미안하다고 울기나 했지 같이 가자고, 이제 엄마랑 같이 살자는 말은 없었다.

제발 벌받아라. 제발 행복하게 살지 말아라.

그렇게 엄마를 원망했다.

1학기가 끝나고 여름방학은 시골집에서 보냈다. 할머니의 농사일을 돕고 할머니가 해주는 밥을 먹었다. 평화로운 한 달이었고 가슴 속에 부글거리던 화가 누그러드는 한 달이었다.

2학기, 대구 고모와 고모부의 도움으로 마산 큰 고모의 집 2층으로 전세를 들어가게 되었다. 자취방에서 이사를 나가는 날, 밀린 3개월 치의 월세도 대구 고모가 내주었다. 할머니가 도저히 돈이 없어 못 내고 있었던 것이었다.

아빠는 단 한 번도 월세를 낸 적도 없었고 나에게 용돈을 준 적도 없었다. 택시 운전을 한다며 매일같이 일을 나갔지만 여전히 모은 돈은 하나도 없다고 했다. 그래서 지낼 곳이 없다고도 했다. 정말로 일을 하기는 하는 건지 혹시나 일을 한다면 매달 나오는 월급을 어디다 쓰는 건지 알 길이 없었다.

아빠는 비실비실 웃으며 이삿짐 트럭에 올라탔다. 아주 당연하다는 듯 나의 자취방에 자신도 살아야 한다고 했다.

변하는 건 없었다. 여전히 지옥이었다.

쿰쿰한 냄새가 나는 단칸방은 바퀴벌레 천지였다
11. 나의 17살(_5). 나는 엇나가는 아이였다.

큰 고모 집의 이층에 있던 단칸방은 학교 옆의 자취방보다 크기는 조금 더 컸지만 상태는 매우 열악했다. 신발을 신고 나가야 하는 시멘트 바닥의 부엌엔 작은 싱크대 하나와 가스레인지가 전부였고 어두침침하고 쿰쿰한 냄새가 나는 단칸방은 바퀴벌레 천지였다. 상태가 좋지 않아 세를 주고 들어오는 사람도 없던 곳에 내가 들어간 것이었다.

큰 고모는 대구 고모가 준 전세금으로 은행에서 이자를 받아 월세를 대신하기로 했고 대구 고모는 내가 고등학교를 졸업하는 데로 전세금을 돌려받기로 한 것이다.

마산에 있는 고등학교에 합격한 지난겨울, 자취방을 구할 형편이 안 됐던 할머니는 마산에 사는 큰 고모와 중리에 사는 삼촌에게 나와 같이 지낼 수 없냐고 부탁도 했었지만 모두 안 된다고 했었다. 고모도, 삼촌도 넉넉한 형편이 아니었기에 이해는 했지만 동네 친구 연서는 마산으로 오고 난 뒤 줄곧 고모와 함께 사는데 싫어 마음이 씁쓸한 건 사실이었다.

2학기가 시작되고 더 타이트하게 수선한 교복을 입고 학교로 향했다. 학교까지 버스로 30분 정도 걸리는 거리라 일찍 집에서 나가야 했으나 크게 개의치 않았다. 집에서 빨리 나갈수록 아빠와 마주칠 시간이 줄어들기도 했고 혹시나 늦잠을 잔다면 아예 대놓고 학교에 늦게 갈 수 있으니 버스비가 든다는 단점만 빼면 여러모로 나에겐 이득이었다.

1학기 때와 크게 달라진 건 없었다. 여전히 복지 장학금을 받고 있었고 학교 문구점에서 볼펜이나 스티커 따위를 훔치거나 시간이 날 때마다 희주와 마산 댓거리에 나가서 옷을 훔쳤다. 그 당시 H.O.T 나 젝스키스, 핑클과 S.E.S 같은 그룹들이 인기를 누릴 때라 통바지가 크게 유행했었기에 통이 넓은 바지나 꼭 달라붙는 티셔츠 위주로 말이다.

기다란 검은색 통바지 밑단에 쫀쫀하게 고무줄을 넣어 정강이까지 끌어올리고 바지가 바닥에 끌리지 않도록 13 cm의 통굽 신발을 신었다. 문구점에서 훔친 파우더로 허옇게 화장을 하고 빨간 립글로스를 발랐다. 역시 문구점에서 훔친 머리핀을 삐딱하게 꼽고 최대한 껄렁한 자세와 태도로 시내를 돌아다녔다.

학교를 가는 시간은 내 마음이었지만 집엔 최대한 늦게 들어갔다. 친구 희주와 분식집에서 순대와 떡볶이로 저녁을 때우기도 하고 가끔은 나처럼 자취를 하던 수연이라는 친구 집에 희주와 함께 가서 라면을 끓여 먹고 밤늦게까지 놀기도 했다.

2학기가 끝나갈 무렵, 2학년부터 시작될 야간 자율학습에 대비해 1학년도 자율적으로 교실에 남아서 늦게까지 공부를 해도 된다고 했다. 다만 16개 반을 모두 열어 놓는 게 아니라 교실 2개만 열어 놓을 예정이라 남아있고 싶은 학생들은 모두 그곳에 모여서 공부를 해야 했다. 다행히 우리 10반 교실이 늦게까지 열려 있어서 나는 내 책상에 그대로 앉아 잠을 자거나 책을 읽으며 최대한 늦게까지 시간을 때웠다.

고등학교에 온 뒤 공부는 하지 않았지만 매일 책을 읽지 않은 날은 없었다. 학교 도서관에서 삼사일에 한 번씩은 책을 빌렸는데 주로 클래식 소설과 역사서, 장편소설, 무협, 그리고 철학 책들이었다.

댓거리에 나가는 것도 날이 갈수록 지겨워지고 집에는 늦게 들어가고 싶었기에 나는 자주 학교에 남아있었다. 그날은 희주도 학교에 남겠다며 내 옆에 앉아서 정성스럽게 다이어리를 꾸미기 시작했다. 서랍에서 중간쯤 읽은 '수호지' 1권을 꺼냈다. 익살스러운 캐릭터들과 비현실적이지만 제법 긴장감 도는 전투 장면들, 오랜만에 시간 가는 줄 모르고 책을 읽었다.

쉬는 시간, 쌀쌀해진 날씨에 어깨에 담요를 두르고 화장실을 다녀오는데 교실 뒤쪽에 앉아 있던 다른 반의 여학생 몇 명이 수다를 떨고 있는 게 보였다. 갑자기 심사가 뒤틀린 나는 일부러 들으라는 듯 큰 목소리로 구시렁거렸다.

"아.. 씨... 남의 교실에서 더럽게 떠드네!!"

교실 분위기가 순식간에 싸 해졌다. 나를 향하는 새된 시선에 오히려 어깨가 으쓱 올라갔다. 치졸한 열등감과 패배감으로 똘똘 뭉쳐 모범생처럼 보이는 여학생들 앞에서 센 척을 하고 싶었던 것이다. 자신 있으면 덤벼보라는 식으로 착해 보이는 아이들을 노려보았다. 여학생 3명은 잠시 나를 노려보며 쑥덕거렸지만 나에게 시비를 걸진 않았다.

학교에서 책을 다 읽고 밤 10시가 넘어서 집에 도착했다. 대문 앞에 서서 2층을 노려보았다. 불이 꺼진 걸로 봐서 아빠가 아직 안 들어왔던지 아니면 벌써 들어와 자고 있는 것이리라. 누군가 양손으로 심장을 비틀어 짜는 것처럼 가슴이 조여들었다.

무거운 걸음으로 2층으로 올라갔다. 다행히 집엔 아무도 없었다. 아빠가 돌아오기 전에, 그 더러운 면상을 마주치기 전에 빨리 자야겠다는 생각으로 서둘러 씻고 단단히 문단속을 한 뒤 잠이 들었다.

새벽 2시쯤 아빠가 집에 돌아왔다.

그날 밤 나는 처음으로 자살을 생각했다.

저 인간이 죽는 날, 나는 환희의 춤을 추리라
12. 나의 17살(_6). 나는 엇나가는 아이였다.

한창 단잠을 자고 있는데 현관문 두드리는 소리가 들렸다.

"야 이! 씨발년아! 문 열어라!!"

졸린 눈을 겨우 밀어 올린 나는 무슨 일인가 싶어 두 눈을 끔뻑이며 잠시 그대로 누워 있었다. 덜컹대는 현관문 소리와 문 열라며 쌍욕을 퍼붓는 소리... 아빠였다.

'하... 씨...'

책상 위의 야광 탁상시계가 새벽 2시를 가리키고 있었다. 깊은 한숨이 터져 나왔다.

"문 안 여나? 아, 씨발. 문 열라고! 이 미친년아!!"

이불을 걷어 차고 자리에서 일어났다. 너무 화가 나서 눈앞이 빙빙 돌았다. 잠겨 있던 현관문을 거칠게 열었다.

"아! 씨! 새벽에 쳐들어왔으면 조용히 해라! 씨발, 왜 열쇠도 없이 나가서 이 새벽에 지랄인데?"

"이! 씨발년이!!"

갑자기 눈앞이 번쩍했다. 아빠가 내 머리를 있는 힘을 다해 내려친 것이다. 시멘트 바닥에 쓰러진 나는 미처 정신을 차리지도 못한 채 머리채가 잡혀 방 안으로 끌려 들어갔다.

"악!!!!"

아빠는 소리를 지르는 나를 천 옷장에 내팽개친 뒤 양 주먹으로 사정없이 때리기 시작했다. 주먹으로, 손바닥으로 머리와 온몸을 때렸다. 그러다가 성에 차지 않는지 발길질을 해댔다. 배를 정통으로 맞아 숨이 턱 막혔다. 어떻게든 숨을 쉬어 보려 헐떡거리는데 아빠가 발로 내 머리를 바닥으로 세게 내리밟았다. 오른쪽 머리가 바닥에 부딪히며 '쿵'하는 소리가 났다. 순간 너무 어지러워 온몸이 축 늘어졌지만 아빠의 주먹질과 발길질은 멈추지 않았다.

"씨발! 개 같은 년! 니 같은 건 맞아 죽어야 된다! 죽어라! 이 미친 년아!"

아득히 정신이 멀어지려는 그때, 어디선가 우당탕 거리는 소리가 들리고 아랫집에 있던 큰 고모와 큰 고모부가 올라와 아빠를 뜯어말렸다.

"이기 지금 뭐 하는 짓이고!!!"

큰 고모부가 아빠를 붙잡아 세우자 아빠는 갑자기 목소리를 바꾸며 점잖은 신사처럼 변명을 했다.

"아니~ 이 년이 버릇없이 내한테 욕을 하고 물건을 집어던지고... 아이고... 내가 살다 살다 이런 싹수 노란 년은 처음 본다 아잉교. 아이고..."

큰 고모가 나를 일층으로 데려갔다. 사촌 언니 방에 큰 고모와 사촌 언니, 사촌 오빠의 와이프까지 모여 나를 살폈다. 온몸이 사시나무 떨리듯 떨렸다. 금방 무슨 일이 있었던 건지, 내가 누구인지, 내가 어디에 있는지 감이 잡히지 않았다. 큰 고모가 내 어깨를 잡아 흔들며 괜찮냐고 숨을 쉬라고 소리쳤다.

사촌 언니 방에서 뜬눈으로 밤을 지새웠다. 극심한 충격으로 눈물도 나오지 않았다. 오들거리며 떨리던 몸이 아침 동이 터올 무렵에야 진정되기 시작했다.

큰 고모는 새벽부터 불고기를 만들어 아침상을 차려주었다. 나는 밥도 먹지 않고 말하는 방법을 까먹은 사람처럼 그저 멍하게 앉아있었다.

큰 고모가 말했다.

"........ 멍도 안 들었네."

허공을 향하고 있던 시선이 큰 고모의 얼굴로 옮겨갔다.

"세게 맞은 것도 아닌갑네. 멍도 안 들었네."

소름이 돋았다.

"그래도 아빠가 니를 생각해서 세게 안 때렸는 갑다. 그라길래 와빠딱빠딱 문을 안 열어주가꼬 일을 이 지경을 만드노. 멍도 안 들었고 니가 잘못해서 그란 기니까, 고마 괜찮다."

큰 고모의 말의 목적을 알 수 없었다. 괜찮다고 말을 마쳤으니 위로인가? 아니면, 내가 문을 빨리 안 열어줘서 그런 일이 있었다고 했으니 내 잘못이라는 말인가? 아니면 아빠가 나를 생각해서 세게 때리지 않았으니 나는 운이 좋은 아이라는 말인가?

꼭두각시처럼 아무 생각 없이 교복으로 갈아입었다. 그 와중에도 학교를 가겠다고 아침 일찍 집을 나서는데 큰고모가 직접 싼 도시락을 손에 쥐어 주었다.

버스 정류장에서 멀지 않은 곳에 있던 경찰서 앞으로 갔다. 유리창 너머 경찰 아저씨 두 명이 보였다.

가서 말을 할까...

말을 하면 도움을 받을 수 있지 않을까...

한동안 그 자리에서 서서 고민했다.

과연 저 아저씨들이 나를 도와줄 수 있을까? 하지만 이건 아빠와 나의 문제인데? 이런 집안일까지 저 아저씨들이 관여할까? 경찰서는 범죄와 관련된 일만 처리하는 곳인데?

그때의 나는 아빠의 행동이 범죄라고 생각하지 못했다. 아빠는 늘 그랬으니까. 내 기억이 닿는 가장 오래된 시점부터 아빠는 줄곧 폭언과 폭력을 일삼았으니까. 가족들도 모두 아빠의 행동을 알고 있었지만 그냥 그러려니 했으니까. 그래서 그제야 갑자기 아빠가 한 짓이 범죄라고 생각하지 못한 것이다. 반복된 폭력에 익숙해져 그것을 당연한 일상으로 여겼던 것이다.

학교에 도착해 화장실로 갔다. 아빠 발에 밟혀 바닥을 찧었던 오른쪽 머리에 커다란 혹이 나 있었고 허벅지와 옆구리, 팔뚝에 시퍼런 멍이 들어 있었다. 다행히 동복을 입고 있었기 때문에 멍이 든 팔을 가릴 수 있었고 혹이 난 오른쪽 머리도 머리카락 덕분에 크게 표가 나지 않았다. 큰 고모의 말대로 얼굴과 목에는 멍 자국은 없었지만 군데 군데 긁힌 상처가 있었다.

담임 선생님한테 한번 말해볼까도 했었지만 혹시나 선생님한테 말을 했다가 반 아이들이 알게 되면... 학교에 소문이라도 나면... 그래서 말하지 못했다. 나의 치부를 드러내 동네방네 소문내고 싶지 않았다.

나는 피해자였지만 가해자이기도 했다. 그런 사람을 아빠로 둔 내 잘못이었다. 찢어지게 가난한 집에서 태어난 내 잘못이었다. 그래서 아무에게도 말하지 못했다.

점심시간, 큰고모가 싸준 불고기와 반찬, 흰쌀밥을 쓰레기통에 모두 버렸다. 아무것도 먹지 않았다.

학교 수업이 끝나고 그날도 늦게까지 학교에 남아있을 거냐고 묻는 희주에게 오늘은 집에 일찍 가겠다고 했다.

집에 도착한 나는 바로 이층의 단칸방으로 올라갔다. 다행히 아빠는 아직 집에 돌아오지 않은 듯했다. 엉망으로 찌그러진 천 옷장 안에 있던 노끈을 꺼냈다. 이삿짐을 쌀 때 썼던 건데 제법 튼튼했다. 이 정도면 될 것 같다. 아빠가 집에 들어오자마자 보는 게 좋을 테니 현관 입구가 좋을 것이다. 문제는 현관문 위에 노끈을 묶어야 하는데 아무리 살펴봐도 노끈을 묶을 만한 곳이 없었다. 못을 박아서 사용하면 내 몸무게를 견디지 못할 텐데... 안 되겠다. 계획을 바꿔야겠다. 욕실 샤워기에 묶으면 되지 않을까? 욕실로 향했다. 샤워기를 손으로 흔들어 보았다. 녹슨 샤워기가 덜렁덜렁 흔들렸다. 튼튼하지 않다.

그러면 어디가 좋을까....

방으로 돌아와 책상과 창문 주변을 살폈다. 마땅한 곳이 눈에 띄지 않았다. 의자에 걸터앉아 천장 한가운데 달려있는 전등을 노려보았다. 저기도 안될 것 같은데...

덜컹.

그때 현관문 열리는 소리가 들렸다.

'아... 씨... 아직 못 찾았는데...'

방으로 들어온 아빠는 책상 앞에 앉아있는 나를 본체만체하곤 곧장 저녁상을 차리기 시작했다. 냉장고에서 김치를 꺼내고 밥솥에 남아있던 밥을 싹싹 긁어 커다란 대접에 담아 상에 올리더니 바닥에 털썩 주저 앉았다. 그리곤 검은 봉지 속에 든 무언가를 상 위에 꺼내 올렸다. 직사각형의 커다란 용기에 수북하게 담긴 건 김이 모락모락 나는 수육이었다.

아빠는 누가 뺏어 먹기라도 하는 듯 쫓기는 사람처럼 허겁지겁 밥을 먹었다. 한 번에 두세 개씩 고기를 집어 입안으로 밀어 넣곤 채 씹지도 않고 또 음식을 입 앞으로 가져갔다. 그 많던 수육을 순식간에 다 먹어 치운 아빠는 옷을 갈아입고 어딘가로 나가버렸다.

그 모양새를 가만히 지켜보고 있자니 점점 화가 치밀어 올랐다. 미안하다는 말도 없었고 괜찮냐고 묻지도 않았다. 제 뱃속 채우기에 급급해 주변의 상황 따윈 안중에도 없었다.

어떻게 인간이 저럴 수가 있나, 사람의 탈을 쓰고 태어나서 어떻게 저럴 수가 있냔 말이다.

노끈을 책상 위에 올려놓고 생각했다.

내가 왜 죽어야 하지? 저런 인간 말종 때문에 내가 왜? 내가 왜 저 인간이 원하는 데로 해야 하지? 무엇 때문에?

억울했다. 억울해서라도 악착같이 살아야 했다.

양손으로 노끈을 움켜잡았다. 그리고 다짐했다.

저 인간이 죽는 날, 나는 환희의 춤을 추리라.

노끈을 다시 옷장 깊숙이 밀어 넣었다. 갑자기 극심한 허기가 밀려왔다. 하루 종일 아무것도 먹지 않았다는 걸 그제야 깨달았다. 그 많던 수육에 남아있던 밥까지 아빠가 전부 다 먹어버려 집엔 밥도 없었다.

바지 밑단에 고무줄을 넣은 통바지로 옷을 갈아입고 집을 나섰다. 큰 고모 집으로 이사를 오면서 CCTV가 없는 농협 슈퍼를 하나 찾았는데 10분 정도 떨어진 아파트 단지에 있던 농협은 지하에 있어서 사람도 많이 없었고 통로도 좁아서 물건을 훔치기에 안성맞춤이었다.

농협에 도착하자마자 햄 하나를 바지 안으로 집어넣었다. 커다란 햄이 정강이에 쫀쫀하게 조인 고무줄 위에 안착했다. 하도 통이 넓은 바지라 아무런 표시도 나지 않았다. 비엔나소시지와 분홍소시지도 집어넣었다. 아직 표시가 나지 않았다. 마지막으로 단무지까지 바지 속에 집어넣고 의심을 받지 않으려 새우깡 하나를 샀다.

집으로 돌아와 앉은 자리에서 비엔나소시지를 전부 먹어 치웠다. 그리곤 네모난 햄과 분홍 소시지를 두껍게 잘라 작은 상에 올린 뒤 단무지와 함께 먹었다. 프라이팬에 굽지도 않고 그대로 말이다.

차오르는 눈물에 눈앞이 일렁였다. 흐릿해지는 시야 넘어 8살의 어린 내가 나타났다. 작은 상의 맞은편에 앉은 8살의 나는 두툼한 돼지고기가 든 김치찌개에 흰쌀밥, 할머니가 만든 겉절이와 무생채, 그리고 고등어조림을 먹었다. 할아버지가 아빠에게 인감도장을 도둑 맡기 전, 그래도 조금은 여유가 있었던 할머니가 돼지고기를 가득 넣어 김치찌개를 끓이고 고등어까지 졸여 상에 올린 것이다.

할머니는 어린 나의 국그릇에 넘칠 정도로 고기를 담아 주었다. 할아버지도 자신은 육고기를 즐기지 않는다며 자신의 국그릇에 든 고기를 내게 덜어 주었다.

울컥 목이 메었다. 입안에 든 햄을 채 삼키지도 못했는데 가슴이 내려앉는 통곡 같은 울음이 터져 나왔다. 어제 일이 있고 난 뒤 처음으로 울었다.

할머니와 할아버지가 죽을 만큼 보고 싶었다. 누가 들을 세라 입을 틀어막고 나는 오랫동안 울었다.

그해 겨울, 드디어 아빠가 내 자취방에서 나갔다. 어디로 갔는지, 어디서 무엇을 하는지 아무도 알지 못했다.

할매, 내는 정구지 찌짐
13. 나의 18살(_1). 나는 엇나가는 아이였다.

아빠가 자취방을 나가고 난 뒤 나는 급속도로 안정을 찾아갔다. 단단히 응어리진 화도 시골집에서 할머니와 함께 겨울방학을 보내며 한결 가라앉았다.

2학년 8반, 새 학기가 시작되었다. 새초롬하게 인사를 하는 새로운 짝지에게 나도 어색하게 웃으며 인사를 건넸다. 어딘가 낯이 익은 얼굴이다 싶었지만 오며 가며 봤겠지 싶어 금세 신경을 꺼버렸다.

동네 친구 연서와는 또 같은 반이 되지는 못했지만 마산 여고에 다니고 있던 중학교 친구 미혜의 자취방에 한 번씩 같이 놀러 가서 밀린 수다를 떨기도 했고, 주말에 기차를 타고 시골에 함께 내려가기도 했다. 희주는 바로 옆 반으로 배정받아 거의 매 쉬는 시간마다 만났다.

2학년부터는 야간 자율학습이 필수였으며 출석체크도 아주 꼼꼼하게 한다고 했다. 어차피 집에 가도 할 일도 없었고 학교에 남아서 책이나 읽으면 되겠다는 생각에 크게 거부감이 들지는 않았다.

담임 선생님은 깐깐하지만 유머스러운, 키가 작고 왜소한 수학 선생님이었다. 같은 재단이었던 마산 제일남고에서 올해부터 제일여고로 발령을 받았다는 선생님은 여고에서는 처음 일을 해본다며 약간은 흥분된 어조로 자신을 소개했다.

처음엔 친구들끼리 서로를 알아가느라 반 분위기가 조심스러웠지만 한 달쯤 지나자 좋아하는 연예인이 같은 아이들이나 1학년 때 반이 같았던 아이들, 아니면 앉은 자리에 따라 조금씩 그룹이 나뉘기 시작했다.

나는 학교에서는 절대로 집안 사정에 대해 말하거나 우울한 모습을 보이지 않았기 때문에 교우관계는 나쁘지 않았다. 1학년 때 같은 반이었던 아이들과는 여전히 좋은 관계를 유지하고 있었고 짝지인 건희와도 많이 가까워졌다.

그 외의 대부분은 1학년 때와 달라진 것이 없었다. 여전히 복지 장학금으로 버스비를 하고 있었고 대부분의 반찬은 할머니 집에서 가지고 왔으며 도시락 반찬은 매점과 슈퍼마켓에서 도둑질을 해서 준비했다. 그리고 주말엔 시골집에 내려가 바쁜 할머니의 농사일을 도왔다.

금요일 저녁, 야간 자율학습이 시작되기 전에 어김없이 공중전화로 향했다. 신호음이 울릴 틈도 없이 할머니가 전화를 받았다.

"여보시오."

"할매, 내다."

"그래, 소희가? 오데고? 학교가?"

"응, 학교. 야간 자율학습 시작하기 전에 전화했다."

"오이야. 안 그래도 기다리고 있었다. 내일 내리 올 수 있나?"

"응, 내일 오전 수업 끝나고 12시 기차 타고 내리 갈게. 일이 많이 바쁘나?"

"아이고, 말도 마라. 며칠 전에 이앙기로 논에다가 모를 심었는데 아랫동네 사람을 부맀드만 지 논 아이라꼬 우찌나 건성건성 하든지 모가 제대로 안 심긴 데가 천지 삐까리다. 그거 다 메울라 카모 니하고 내하고 하루 종일 해야 산골짜기 논까지 다 할 수 있을 끼구만."

"알겠다. 내가 내일 내려가서 그거 같이 해 줄게."

"공부해야 되는데 오는 거 아이가?"

"아이다. 주말인데 뭐."

"그릇나? 그라모 뭐 묵고 싶은 거 읎나? 할매가 만들어 줄끄마."

"내? 내, 정구지 찌짐 묵고 싶다."

"하하, 또 정구지 찌짐? 삼겹살, 뭐 그런 거 안 묵고 싶나?"

"아니, 내는 정구지 찌짐."

"알긋다. 할매가 맛있게 만들어 줄꾸마."

다음날 학교를 마치자마자 교복을 입은 그대로 마산역으로 향했다. 약 1시간 정도 기차를 타고 역에서 집까지 30분 정도 걸어서 시골집에 도착했다.

"할매~! 내 왔다."

"하이고~ 우리 소희왔나? 배 안 고프나? 이리 온나. 뜨거울 때 무야 맛있다."

당연히 논에서 일을 하고 있을 거라 생각했던 할머니는 주방 바닥에 커다란 전기 프라이팬을 꺼내 놓고 부추전을 굽고 있었다. 여전히

131

일복을 입고 있는 것으로 봐서 내가 도착할 시간에 맞춰 논에서 일을 하다가 급히 돌아온 것이 분명했다.

서둘러 책가방을 내려놓고 신문지가 깔린 바닥에 앉았다. 금방 구워 낸 뜨거운 부추전을 젓가락으로 찢어 입안으로 가져갔다. 기분 좋게 까끌까끌한 싱싱한 부추의 식감에 적당히 매운 청양고추, 고소하고 담백한 조갯살까지. 할머니의 부추전은 먹어도 먹어도 질리지도 않고 기름에 구워 낸 거라 느글거릴 만도 한데 어찌 된 것이 그런 것도 전혀 없었다. 부추전 5장을 앞은 자리에서 뚝딱 해치웠다.

옷을 갈아입고 바로 할머니를 따라 논으로 향했다. 할머니 말대로 이앙기가 지나간 자리가 맞나 싶을 정도로 빈자리가 꽤 눈에 띄었다. 노란색 고무장화를 허벅지까지 올려 신고 챙이 넓은 모자를 썼다. 토시와 얇은 장갑을 끼고 모판에서 모를 빼내 허리춤에 찬 주머니에 곱게 집어넣어 논으로 들어갔다.

줄을 맞춰 모를 심으면서 할머니와 이런저런 이야기를 나누었다. 학교생활은 어떤지, 새 담임 선생님은 어떤지, 친구들과 사이좋게 지내는지, 공부는 어떻게 하고 있는지, 도시락은 어떻게 싸가는지...

매주 주말이면 시골집을 찾았기에 일주일 사이 크게 변한 건 없었지만 할머니의 질문에 나는 조곤조곤 대답을 해주었다. 할머니도 나도 지난 일주일간 외로웠으니 조금 지루한 질문과 뻔한 대답이라도 그렇게 서로를 위로할 수만 있다면 괜찮지 않겠나 생각하며 말이다.

오후 늦게까지 일을 하고 집으로 돌아왔다. 할머니는 내가 씻는 동안 거실에 신문지를 넓게 깔고는 다시 전기 프라이팬을 올렸다. 아까 남아있던 부추전을 다시 구울 건가 싶었는데 냉장고에서 두텁게 잘린 삼겹살을 가지고 나왔다.

"니 핑계 대고 내도 고기 좀 묵어보자."

아빠가 진 빚을 여태 갚고 있었기에 정말 큰마음을 먹고 산 고기를 나와 나누어 먹으려고 고이 모셔 두었을 것이다. 할머니도 일주일 내내 집에 있는 반찬으로 대충 끼니를 때웠을 것이다. 내가 오기만을 기다리며 꽁꽁 얼려두었던 삼겹살을 오늘 아침에 냉장실로 옮겨 놓았을 것이다.

상추에 쌀밥을 올리고 김치와 노릇노릇 구워진 삼겹살, 할머니가 만든 쌈장에 양파와 마늘까지 올려 양 볼이 빵빵해지도록 쌈을 싸서 양껏 먹었다.

다음날 아침 일찍 일어나 어제 다 못했던 산골짜기 논에 모내기를 했다. 다행히 이른 오후에 모든 일을 마무리할 수 있었다.

오후 5시 기차를 타기 위해 집을 나섰다. 할머니가 싸준 김치와 금방 구운 부추전을 들고 대문을 나서는데 할머니가 함께 밖으로 나왔다.

"단디 해라이! 나쁜 친구들하고 어울리지 말고 공부도 열심히 하고."

붉어진 할머니의 깊은 눈이 내 얼굴에 닿았다. 나는 알겠다고 고개를 끄덕이며 뒤돌아섰다. 얼마 안 가 뒤돌아본 나를 향해 할머니는 손을 흔들며 "얼른 가그라"라고 말했다. 동네 어귀까지 걸어가 다시 뒤돌아섰다. 허리가 굽은 할머니가 여전히 집 앞에 서 있었다.

저녁노을 속에 할머니의 모습이 일렁였다.

어느샌가 눈에 고여 있던 눈물이 볼을 타고 흘러내렸다. 그대로 돌아서서 고개를 숙인 채 빠른 걸음을 내디뎠다. 더는 뒤돌아보지 않았다. 한 번 더 뒤돌아보면 정말로 마산에 가기 싫다고, 할머니와 있고 싶다고 떼를 쓰게 될까 봐, 한 번 더 뒤돌아봤을 때 여전히 할머니가 그 자리에 서 있다면 정말로 바닥에 주저앉아 엉엉 울게 될까 봐. 이를 악물고 뒤돌아보지 않았다.

그로부터 몇 주 뒤 아빠가 할머니 집에 나타났다. 이제부터 시골집에서 살겠다며 버젓이 내 방을 자신의 방으로 만들었다. 할머니가 안된다고 했어도 아빠는 무시했을 것이다. 자신은 당연히 그곳에서 살아도 된다고, 시골집은 자신의 집이나 마찬가지라고 우겼을 것이다.

하지만 갑자기 나타난 아빠를 할머니는 쫓아내지 못했으리라. 형편없는 인간이었지만 그래도 아빠는 할머니의 큰아들이었으니, 인간 말종이었지만 그래도 아빠는 할머니에겐 소중한 자식이었으니.

우리 할머니는 그런 사람이었으니까.

미련스럽게 끝도 없이 퍼 주기만 하던 그런 사람이었으니까.

내 말대로 하면 다달이 수백만 원을 벌 수 있다!
14. 나의 18살(_2). 나는 엇나가는 아이였다.

아빠가 시골집에 나타났다는 소식을 들은 나는 할머니를 지켜야 한다는 각오로 주말마다 빠짐없이 시골집에 내려갔다.

갑자기 돌아온 아빠는 할아버지의 산소가 있는 선산에 울타리를 치고 뜬금없이 염소를 키우겠다고 했다. 염소를 키우면 돈이 된다는 이야기를 어디선가 주워들은 게 분명했다. 물론 돈이 없었으니 그 넓은 산에 울타리를 칠 재료며 염소를 살 돈은 모두 할머니가 마련해 주어야 한다는 것이 아빠의 생각이었다.

"굶어 죽어도 돈 없다! 내가 돈이 오데 있노?"

"돈이 없따꼬? 이렇게 좋은 집을 지어 놓고 돈이 없다는 게 말이 되나!! 은행에서 빌리라!"

"내가 평생 모은 돈으로 겨우 집 하나 짓다! 늙어서 자식들한테 신세 안 지고 살라꼬!! 요서 내 혼자 살다가 죽을라꼬 집 짓는데, 와? 내가 더 늙고 병들면 니가 봉양이라도 할라꼬?"

"은행에서 돈을 빌리라는데 무슨 이상한 소리를 해샀노! 무식해 가꼬 무슨 말을 하는지도 몬 알아듣네!"

아빠는 할머니에게 돈을 맡겨 놓은 사람처럼 당당하기 짝이 없었다.

"니 때문에 은행에 진 빚도 아직 다 못 갚았는데 또 우찌 돈을 빌린단 말이고!!"

"집이든! 땅이든! 담보로 잡아 가꼬 돈을 빌리모 되지! 염소를 키우기만 하면 다달이 몇 백만 원씩 벌 수 있는데! 쌀농사나 지어 가꼬 어느 천년에 부자가 될라꼬!"

"... 하이고... 내 팔자야... 내가 얼른 죽어야 이 더러븐 꼴도 안 보제.... 하이고이..."

나는 참지 못하고 발악했다.

"돈이 없으면 엉뚱한 짓 벌릴 생각하지 말고 할매 농사일이나 도와라!!! 땡전 한 푼 없으면서 뭘 또 하겠다고 지랄인데?"

한달음에 내 앞으로 뛰어온 아빠는 내 멱살을 잡았다.

"아가리 안 닥치나! 이번엔 진짜로 직이 삐는 수가 있다!"

"죽이 봐라! 니가 평생 감옥에 갇혀 있으면 할매한테 좋은 일이지! 죽이 봐라, 씨발!!"

"이 씨발년이!!"

"돈이 없으면 먼저 돈을 모아서 무슨 일을 할 생각을 해야지! 왜 할매한테 와서 이 지랄인데! 니가 돈 맡기 났나? 왜 할매가 니한테 돈을 줘야 되는데?"

아빠는 잡고 있던 멱살을 거칠게 내팽개치더니 텔레비전 옆에 올려져 있던 유리로 된 장식을 나를 향해 집어던졌다. 다행히 내 몸을 비켜갔지만 얼마나 세게 던졌던지 유리 장식이 거실 벽면에 부딪혀 산산조각이 났다. 아빠를 죽일 듯이 노려보는데 할머니가 내 팔을 잡아끌었다. 나를 안방으로 데려간 할머니는 방문을 걸어 잠갔다.

"하이고... 하이고... 고마해라. 내 심장이 벌렁벌렁한다. 소희야, 고마해라."

"내쫓아 삐라! 할매 집인데 왜 저 인간이 들어와서 사는데!"

할머니는 다리에 힘이 풀린 듯 바닥에 풀썩 주저앉았다.

"앉아라... 소희야, 앉아라..."

도저히 열이 삭히지 않아 밖에까지 다 들리라는 듯 고래고래 소리를 내질렀다.

"돈이 없으면 착실하게 일을 해서 돈을 벌든가! 일도 안 하고 갑자기 돈이 하늘에서 떨어지길 바라는 미친놈이 세상천지에 어디 있노!!"

아빠는 이미 집을 나가버린 듯 밖에선 아무런 기척이 없었다.

"됐다. 고마해라. 아이고... 내가 심장이 덜덜 떨리가... 더는 느그 아빠 상대 못하긋다."

크게 한숨을 내쉰 나는 옆에 놓여 있던 주전자에서 물을 따라 할머니에게 건넸다. 물을 마신 할머니는 거칠어진 호흡을 가다듬느라 한동안 말이 없었다.

할머니의 어깨가 잘게 떨렸다. 어렸을 때 아빠의 조잡한 가게로 찾아가 짜장면과 우동을 시켜보라며 큰소리를 치던 할머니와 지금 내 앞에 앉아 있는 할머니는 확연히 다른 사람이었다. 인정하기 싫었지만 할머니는 아빠를 무척이나 버거워 하고 있었고 어쩌면 무서워도 하고 있었다. 그 사실이 나를 더욱 화나게 했다.

학교 때문에 내가 다시 마산으로 가고 난 뒤 아빠는 쉴 새 없이 할머니를 협박하며 들들 볶아 댔고 할머니는 어쩔 수 없이 은행에서 돈을 빌려야 했다.

솔직히 은행에서 돈을 빌린 건지, 아니면 겨우겨우 모아 두었던 돈을 아빠에게 준 것인지, 만약 은행에서 빌렸다면 얼마나 빌렸는지, 또 무엇을 담보로 잡았는지, 나는 모른다. 하지만 사들인 재료들로 보건대 절대로 적은 돈은 아니었다.

아빠는 할머니의 바쁜 농사일은 일체 돕지도 않고 그 커다란 선산에 울타리를 치겠다고 매일같이 산으로 향했다.

한 달쯤 뒤, 허리만큼 오는 울타리가 완성되고 아빠는 수십 마리의 염소를 샀다. 집에서 걸어서 20분 정도 걸리는 선산에 염소를 풀었지만 평지도 아닌 가파른 경사에 염소들은 적응하지 못했고 생각보다 점프 실력이 좋았던 염소들은 울타리를 넘어 도망가 버리기 일쑤였다. 빽빽하게 들어선 나무와 제법 험한 산세에 건초와 먹이, 물도 제때 가져다주지 못해 병들어 가는 염소들이 늘어났을 뿐만 아니라 한밤중에 염소들이 안전하게 들어가 있을 만한 오두막 같은 것도 없어서 산짐승들의 먹이가 되기도 했다.

그렇게 다달이 몇 백을 벌 거라던 아빠의 염소 사업은 채 한 달도 되지 않아 실패했다. 제대로 잘 찾아보지도 않고 집에서 멀리 떨어진 산에서 염소를 키우면 안 된다는 가족과 여러 사람들의 조언과 만류에도 불구하고 무작정 고집대로 밀어붙인 결과였다. 은행에서 빌

138

린 돈은 또다시 고스란히 할머니의 몫이 되었다.

"내 탓이 아이고 산이 저 모양 저 꼴이니까 염소가 못 사는 거라니까!! 돈 있으면 좀만 더 줘보소!"

주말에 시골집에 내려가니 아빠는 또다시 다른 가축을 키워 보겠다며 할머니에게 돈을 요구하고 있었다.

"울타리를 벌써 쳐 놨으니까 이제 돈도 많이 안 든다고!"

할머니는 머리를 싸매고 드러누웠고 나는 책가방을 바닥에 집어던지며 또다시 폭발했다.

"나이가 들었으면 철 좀 들어라. 뭘 제대로 공부도 안 하고 가축만 산다고 전부 다 해결되는 줄 아나?"

"니는 딱 입 닥치라!"

"쓸데없는 짓 하지 말고 할매 농사일이나 도우라고!!!"

주체할 수 없는 분노로 심장이 터져 나갈 것만 같았다. 그대로 있다가는 정말로 미쳐버릴 것만 같아 집 밖으로 뛰쳐나갔다. 온몸을 벌벌 떨면서 저수지를 향해 냅다 내달렸다. 저수지 바로 옆에 선산이 있기 때문이었다. 할아버지를 만나야겠다는 생각뿐이었다.

숲길을 헤치고 산길을 오르는데 여기저기 아무렇게나 널브러져 있는 울타리의 잔해와 나무토막들이 보였다. 할아버지 무덤 앞에 도착하자마자 눈물이 터져 나왔다.

'할아버지, 저 인간 좀... 제발 저 인간 좀 데려가세요.'

그대로 털썩 주저앉아 바닥의 풀을 뜯어 던지며 목을 놓아 한참을 울었다.

얼마나 시간이 지났을까... 멍하게 앉아 있는 내 머리 위로 붉은 노을이 내려앉았다. 할아버지의 무덤을 손바닥으로 천천히 쓰다듬었다. 할아버지가 우리 곁에 있다면 얼마나 좋을까. 아빠가 하는 짓을 다 막지는 못하겠지만 할아버지가 곁에 있으면 할머니가 저렇게 힘들어하지는 않을 텐데... 나도 이렇게 마음이 조마조마하지는 않을 텐데...

집에 혼자 있을 할머니가 걱정되어 호흡을 가다듬고 자리에서 일어나려는데 어디선가 희한한 웃음소리가 들렸다. 번뜩 정신을 차리고 그 소리에 집중했다.

아빠였다.

산짐승들에 의해 망가진 울타리를 고치는 듯 연장 놀리는 소리와 혼잣말로 뭔가를 중얼거리는 소리, 그리고 해괴한 웃음소리가 들렸다. 점차 안정을 찾아가던 마음이 순식간에 다시 엉망진창으로 헝클어졌다.

산에 더 있으면 마주칠지도 모른다는 생각에 서둘러 산을 내려갔다. 빠른 걸음으로 저수지 옆의 오솔길을 지나 동네 어귀까지 내려가자 작은 나무 아래 웅크리고 앉아 있는 할머니가 보였다. 아빠 때문에 기운이 없는데도 내가 걱정이 돼서 거기까지 올라왔으리라.

콧잔등이 시큰거려 두 눈을 꼭 감았다. 뜨거운 눈물이 넘쳐흘러 고개를 추켜올렸으나 크게 도움이 되지는 않았다.

할머니의 손을 잡고 집으로 돌아와 김치볶음밥을 만들어 나눠 먹었다. 아빠가 시골집에 나타난 뒤 할머니는 부엌을 제대로 사용하지 못했다. 할머니가 만든 음식이 더럽다며 아빠는 자신이 먹을 것은 제가 직접 준비하겠다고 부엌을 장악해 버린 것이다. 몸에 좋다는 건 전부 찾아 먹고 자신의 건강은 누구보다 소중하게 생각 했으며 조금만 몸이 허하다 싶으면 천만금을 주고서도 좋은 약을 사 먹는 인간이었다. 전부 할머니 돈으로 말이다.

주말이 지나고 기어코 할머니 수중에 있던 돈을 뜯어낸 아빠는 토끼 수백 마리를 샀다고 했다. 토끼 농장을 만들면 또 매달 수백만 원을 벌 수 있다고 했다.

도대체... 토끼로 뭘 해서, 어떻게 돈을 벌겠다고 생각한 건지 지금도 이해가 되지 않는다.

토끼 사업은 삼일 만에 망했다.

토끼들이 모두 땅굴을 파고 사라져 버렸기 때문이었다.

무료입장 점원 언니의 모나미 볼펜

15. 나의 18살(_3). 나는 엇나가는 아이였다.

염소와 토끼를 키우는데 실패한 아빠는 이번에는 산골짜기 논에서부터 수로공사를 하겠다고 설쳐 댔다. 여름에 가뭄이 심하면 물을 끌어오는 것이 힘드니 여름이 오기 전에 미리 수로공사를 해 둬야 한다는 이유였는데 좁은 논두렁에 사람의 키보다 큰 수로 파이프를 사서 그걸 파묻겠다고 온 땅을 뒤집어엎어버려 모내기가 끝난 논을 한마디로 엉망진창으로 만들어 버렸다. 이제껏 강물을 끌어와 수십 년 동안 농사만 잘 지어온 것을 아빠는 자신의 방법대로 하지 않으면 당장 큰일이 날 듯 난리 법석이었고 여름에 가뭄이 심하면 강물이 마르고 당연히 수로에도 물도 들어오지 않을 텐데 수로만 만들면 모든 일이 해결될 것처럼 대책 없이 파이프부터 사들인 것이다.

할머니 농사일이나 도우라며 온 가족들이 들고일어나 말렸지만 자신은 큰일을 할 사람이지 그렇게 자잘한 일을 할 사람이 아니라며 제 멋대로 밀어붙였다.

지난 주말 시골에 내려가서 엉망으로 헤집어진 논을 보곤 또 열불이 나서 아빠와 한바탕 싸웠지만 오히려 할머니만 더 힘들게 했을 뿐 아무것도 달라진 건 없었다. 도저히 그 참상을 볼 자신이 없어 다가오는 주말엔 시골집에 내려가지 않기로 했다. 할머니에겐 중간고사 때문에 공부를 해야 한다고 거짓말을 했다.

속에서 올라오는 화를 어떻게든 다스리려 했지만 책을 읽어도 음악을 들어도 소용이 없었다. 몸이라도 바쁘게 움직여야겠다는 생각에 토요일 수업이 끝나고 오랜만에 희주와 댓거리로 향했다.

북적거리는 사람들 틈을 이리저리 휩쓸려 다니다가 분식집에서 점심을 때우고 어김없이 무료입장으로 향했다. 희주와 나는 거침없이 청바지 코너 쪽으로 직진했다. 날이 점점 따뜻해지는 4월이라 짧은 청 반바지나 청치마 따위를 눈여겨보며 도난 방지 택을 하나하나 체크했다.

점원 언니들의 위치와 시선을 끊임없이 확인하며 택이 느슨한 것들 여러 개를 챙겨 피팅룸으로 향했다. 마음에 드는 게 너무 많아서 밖에서 택을 떼어내 가방 안에 한꺼번에 집어넣는 건 무리가 있다고 판단해서였다.

도를 넘어선 욕심에 눈에 뵈는 게 없었다.

피팅룸에 들어가 덜렁거리는 택을 떼어내고 최대한 작게 접어서 가방에 집어넣었다. 청 반바지와 청치마, 청바지 하나까지 밀어 넣으니 어느새 가방이 반 이상 채워졌다.

택이 떨어지지 않는 나머지 옷들을 가지고 나와 피팅룸 옆에 던져두곤 남방이 걸린 쪽으로 걸어갔다. 가방 속에 든 하의와 어울릴 만한 남방이나 얇은 카디건, 반팔 티 같은 걸 만지작거리며 또 택이 느슨하게 붙은 걸 하나씩 손에 잡아들었다. 양손 가득 옷을 들고 피팅룸 쪽으로 가려는데 갑자기 나타난 희주가 내 손을 잡아끌었다.

"나가자!"

"왜?"

얼굴이 허옇게 뜬 그녀는 대답도 없이 입구를 향해 다급하게 걸어갔다. 손에 들고 있던 옷들을 가판에 아무렇게나 내던지고 희주를 따라 빠르게 발걸음을 옮겼다. 희주의 가방이 터질 듯 빵빵한 걸로 봐선 정말 많이 훔친 듯했다.

'희주가 내 것까지 너무 많이 훔친 건가? 그래서 빨리 나가자고 하는 건가?'

그때 뒤에서 날카로운 고함소리가 들렸다.

"야!!!"

매장 뒤쪽에 있던 점원 언니 한 명이 우리를 향해 뛰어오고 있었다. 희주는 그대로 뜀박질을 했고 순식간에 상황을 파악한 나도 미친 듯이 내달렸다. 복잡한 진열대를 휘휘 돌아 구경하고 있던 사람들을 밀치고 막 매장 밖으로 나가려는데 출구를 막고 서 있던 다른 점원 언니 한 명이 희주의 가방 손잡이를 낚아챘다. 곧이어 내 가방까지 거머쥔 언니가 우리를 거칠게 앞뒤로 흔들어 댔다.

"이것들이 지금 어딜 도망가노?!"

이내 뒤쪽에서 고함을 지르며 뛰어오던 언니까지 도착해 꼼짝없이 붙잡히고 말았다. 붉은색 립스틱에 강한 눈 화장을 한 언니는 우리 목덜미를 거칠게 움켜잡으며 매장 안쪽으로 끌어당겼다.

"이 미친 것들이! 내가 모를 줄 아나? 어디서 도둑질이고, 이 발랑 까진 것들이!"

언니는 희주의 가방을 빼앗아 안에 든 것들을 바닥에 쏟아부었다. 청바지와 티셔츠, 재킷 따위가 우수수 떨어졌다.

"이년 봐라! 많이도 훔쳤네!"

그리곤 내 가방에 든 것도 똑같이 바닥에 쏟아부었다.

"이년도 엄청 훔쳤네!! 느그들 처음 아이제? 내가 느그 하는 꼴을 가만히 지켜보니까 처음 해본 솜씨가 아니던데! 어? 그동안 얼마나 훔쳤노? 얼마나 훔쳤냐고!!"

어느샌가 우리 주변으로 둥그렇게 사람들이 모여들었다. 입구 근처라 매장 안에 있던 사람들뿐만 아니라 길거리를 지나가던 사람들까지 매장 앞에 늘어서서 구경을 했다.

우리가 대답이 없자 붉은 립스틱의 점원 언니는 들고 있던 모나미 볼펜으로 희주와 나의 얼굴을 번갈아 가며 찰싹찰싹 때리기 시작했다.

"얼마나 훔쳤냐고 묻잖아!! 이 미친년들이 교복을 입고 이런 짓을 한다고? 내도 제일여고 졸업했는데 느그 같은 것들이 내 후배라는 게 부끄럽다! 아~ 진짜 열받네!"

언니는 말을 하는 내내 볼펜으로 쉼 없이 우리의 얼굴을 때렸다. 얼굴에 닿는 따끔거리는 통증에 점차 짜증이 난 나는 거칠게 언니의 손을 밀쳐내며 뾰족하게 노려보았다.

"아... 씨! 왜 자꾸 때리는데요!!"

일순간 점원 언니의 눈에서 분노의 불길이 솟아올랐다.

145

"왜 때리냐고?! 왜 때리냐고?!!!"

언니는 더 과격하게 볼펜으로 내 얼굴을 때리며 고래고래 소리를 질렀다.

"왜 때리기는! 왜 때리는지 몰라서 묻나? 어? 어?! 니 같은 도둑년 들은 이렇게 맞아야 정신을 차린다! 니가 잘한 게 뭐 있다고 또박또 박 대드는데!"

한참 소리를 지르던 언니는 우리를 피팅룸 뒤쪽의 어두침침한 사 무실로 데리고 갔다. 신상정보와 학년, 반 같은 걸 알아낸 뒤 다시 매 장 밖으로 끌고 나가더니 유리 벽 앞에서 손을 들고 서 있으라고 했다. 나는 소심한 반항이라도 하겠다는 듯 손을 들지는 않았다. 점원 언니 는 같잖다는 듯 코웃음을 치고는 매장 안으로 들어가 유리 벽 너머에 서 우리가 도망가는지 감시했다.

극도로 짜증이 난 내가 희주를 향해 쏘아붙였다.

"어떻게 된 건데?"

"하... 씨... 나도 몰라... 택을 때서 바로 가방 안에 집어넣었는데... 저 언니가 뒤에 서 있는지 몰랐다. 아이씨..."

"그러게 왜 피팅룸에 들어가서 안 하고 밖에서 했냐고? 훔칠 것도 많았으면서!"

"몰라!! 엄마가 알면 진짜 죽는데... 하... 씨..."

지나가는 사람들이 쑥덕거리며 우리를 손가락질했다.

"저거 제일여고 교복 아이가?"

"맞다. 딱 보니까 뭘 훔쳤는 갑네! 으이씨! 학교 망신 저것들이 다 시킨다!"

그곳에서 한 시간 정도를 서있었다. 지나다니는 사람들의 눈총에 완전히 기가 죽어 한껏 고개를 숙이고 있을 때였다. 갑자기 누군가가 우리를 향해 소리를 내질렀다.

"이게 지금 뭐 하는 짓이고!!!"

놀라 고개를 들었다. 담임 선생님이 험상궂은 표정으로 우리를 노려보고 있었다. 희주의 담임 선생님은 선도부 소속이 아니라서 우리 담임 선생님만 그곳에 온 듯했다.

"어디서 도둑질이고? 어? 교복을 입고 겁도 없이 도둑질을 했다고? 느그가 도둑놈들이가? 어디서 그런 걸 배웠노? 어? 말해봐라!!"

선생님은 쉼 없이 소리를 질러 댔고 소리를 지르면 지를수록 자신의 화를 주체하지 못하는 듯했다. 귀를 찌르는 고함소리에 신경질이 났다.

'왜 저렇게 흥분을 하는 거지? 내가 뭘 그렇게 잘못했다고... 아.. 짜증 나...'

그때의 나는 내가 잘못한 행동을 해서 붙잡혔다는 생각보다는 희주가 들키는 바람에 일이 번거롭게 돼 버렸다는 삐뚤어진 피해 의식에 사로잡혀 있었다.

'아... 씨... 전부 다 희주 때문에... 괜히 들켜가지곤...'

선생님은 점원 언니의 안내로 우리를 다시 매장 안쪽의 사무실로 데리고 들어갔다. 그곳에서 또 한참을 화를 냈다.

"느그 둘은 다음 주부터 학교 수업에서 2주 동안 배제될 거니까 그리 알아라! 월요일, 학교에 오자마자 교무실로 온나!!"

".... 네..."

희주와 나는 힘없이 대답했다. 선생님은 으름장을 놓듯 말을 이었다.

"각자 집에는 내가 연락할 거니까 그리 알고!!"

그 말에 희주가 갑자기 손을 싹싹 빌며 선생님께 통사정을 했다.

"선생님, 제발 엄마한테 말하지 말아 주세요! 제발요."

"엄마한테 말하지 말라고? 택도 없는 소리 하지 마라! 잘못을 했으면 부모님이 알아야지!!"

집에 연락을 한다고? 집에 선생님이 직접 전화를 한다는 말에 희주 못지않게 나도 덜컥 겁이 났다. 혹시나 할머니가 이 사실을 알게 되면... 그러면 안 되는데... 할머니가 알면 진짜 안 되는데... 피해 망상적인 짜증은 할머니가 알면 안 된다는 급박함에 순식간에 수그러들었다. 나도 희주를 따라 선생님께 사정을 하기 시작했다.

"선생님, 제발 저희 할머니한테는 말하지 말아 주세요. 제발요."

할머니 생각을 하니 갑자기 눈물이 났다. 절대로 할머니가 알면 안 됐다. 내가 이렇게 나쁜 짓을 하고 있었다는 걸 절대로 할머니가 알아서는 안 됐다.

우리가 울면서 사정을 했지만 선생님은 원칙대로 해야 한다며 매정하게 뒤돌아섰다. 선생님을 따라 힘없이 무료입장을 나섰다. 점원 언니들이 출구에 모여 서서 매장 밖으로 나가는 우리 둘을 노려 보았다. 붉은 립스틱의 점원 언니가 손가락 사이에 끼워진 모나미 볼펜을 까딱이며 우리를 향해 비아냥거리듯 말했다.

"꼴좋다! 한 번만 더 여기 나타나기만 해 봐라! 내가 절대로 가만히 안 둘 테니까!!"

선생님은 뒤도 돌아보지 않고 멀어졌고 집 방향이 같았던 희주와 나는 같이 버스를 탔다. 버스 안에서도 계속 울었지만 이미 우리 손을 떠난 일을 어떻게 할 방법이 없었다. 나보다 몇 정거장 더 가야 했던 희주를 남겨두고 먼저 버스에서 내렸다.

지저분한 단칸방에 들어와 웅크리고 앉아 또 한참을 울었다.

밤이 깊어서야 정신을 차리고 씻으려고 욕실로 들어갔다. 하도 울어서 퉁퉁 부은 얼굴이 세면대 거울에 비쳤다. 얼굴 전체에 새까만 볼펜 자국이 엉망으로 죽죽 그어져 있었다. 그러고 보니 희주의 얼굴에도 볼펜 자국이 있었던 게 어렴풋이 기억났다. 볼펜 자국을 따라 멍한 시선을 옮겼다. 짙은 화장을 한 점원 언니의 얼굴과 선생님의 화난 얼굴, 그리고 오후에 있었던 일들이 순차적으로 다시 생생하게 떠올랐다. 감당할 수 없는 자괴감과 낭패감으로 머리가 깨지는 것만 같았다.

주말이 지나고 월요일 아침.

희주와 학교 앞에서 만나 같이 교문을 들어섰다. 교문 바로 옆에 있던 게시판에 대문짝만하게 공고가 나붙어 있었다.

〔공고문〕

2학년 8반 이 소 희

2학년 9반 김 희 주

위 학생은 1999년 4월 x 일 마산 댓거리의 무료입장에서

절도를 하였음에 사회봉사 2주에 처한다.

나는 버림받은 아이가 아니었다
16. 나의 18살(_4). 나는 엇나가는 아이였다.

희주와 나는 바로 교무실로 향했다. 담임 선생님은 교무실이 떠나갈 정도로 소리를 지르며 다시 한번 더 일장연설을 늘어놓은 뒤 보육원의 위치를 알려주었다. 앞으로 2주간 그곳으로 등교를 하면 되고 야간 자율학습도 할 필요 없다고 했다.

선생님이 프린트해 준 지도를 손에 들고 교문을 나섰다. 둘 다 기가 죽어 한동안 말없이 걷기만 했다.

"니 엄마한테 혼 많이 났나?"

조심스러운 나의 질문에 희주는 한숨을 크게 내쉬었다.

"엄청 혼났지. 죽다가 살아났다."

"……"

"니는?"

"……몰라."

시골집에 내려가지도 않았고 전화도 하지 않았기 때문에 할머니가 알고 있는지 알 길이 없었다. 다만, 할머니가 알게 되었다면 분명 큰 고모 집으로 전화를 했을 텐데 전화가 없는 걸로 봐선 아직 모르고 있을 확률이 높았다. 논에 일을 나가서 전화를 못 받았을 수도 있고 아니면 아빠가 받았을 수도 있고.

'하……'

산복 도로를 따라 예쁘게 핀 벚꽃들이 바람결을 따라 살랑살랑 흩날렸다. 구름 한 점 없는 예쁜 날이었다.

"소희야."

나란히 걷던 희주가 멈춰 서서 나를 향해 돌아섰다.

"나 때문에 들켜서 미안. 진짜로 일이 이렇게 될 줄 몰랐다."

나도 걸음을 멈추고 희주를 바라보았다.

"우리 둘 다 잘못해서 걸린 건데 뭐. 나도 화내서 미안."

피식, 서로 마주 보며 웃다 다시 갈 길을 재촉했다. 제일 여고에서 도보로 10분에서 15분 정도 걸리는 곳에 보육원이 있었다. 다행히 헤매지 않고 제시간에 도착했다.

마산 영신원. 빨간 벽돌로 된 삼층 건물이었던 걸로 기억한다. 작은 정원을 지나 안내 화살표를 따라 사무실로 향했다. 사무실에는 제일여고 생활복을 입은 아이들의 사진이 여기저기 걸려있었다. 그 중에서 1학년 때 같은 반이었던, 가발을 쓰고 술집에 놀러 다니던 아이들의 사진도 있었다.

'맞다. 쟤네들도 사회봉사한다고 공고 붙었었지.'

온화한 얼굴의 보육 선생님이 2주 동안 따라야 하는 규칙과 일과에 대해 알려주었다. 아침 8시까지 보육원에 도착해서 제일 먼저 1

층 사무실 청소를 하고 청소가 끝나면 선생님을 도와 유아반 아이들을 보살핀 뒤 점심은 보육원 식당에서 먹으면 된다고 했다. 점심 식사 후에는 선생님과 상담 시간을 가질 것이고 상담이 끝나고 나면 집에 가기 전까지 다시 선생님을 도와 아이들을 보살피면 된다고 했다.

정신없이 첫날이 지나고 다음날부터 선생님이 알려주었던 일과에 따라 아침 청소를 하고 점심시간이 될 때까지 선생님의 지도 아래 아이들과 함께 놀거나 한글 공부하는 것을 도왔다. 아이들은 거리낌 없이 우리를 언니, 누나라고 부르며 곧잘 따랐고 희주와 나는 순식간에 아이들의 순수함에 푹 빠져들었다. 너무 귀엽고 사랑스러운 아이들과 함께 놀다 보니 일주일이라는 시간이 쏜살같이 지나갔다.

토요일, 보육원에서 오전 일과를 끝내고 바로 시골집으로 향했다. 지난주에 내려가지 않은 데다 혹시나 할머니가 알고 있다면 얼굴을 보고 직접 설명하는 것이 옳다고 생각했기 때문이었다.

시골집에 도착하니 아빠는 일을 나가고 집에 없는 듯했고 할머니는 뒷밭에서 채소 모종을 심고 있었다. 서둘러 옷을 갈아입고 텃밭으로 향했다.

"소희 왔나? 중간고사 기간이라 안 캤나?"

"중간고사는 4월 말이라서 아직 시간 많다."

호미를 고쳐 들고 할머니 옆에 쪼그리고 앉아 대파와 상추 모종을 심었다. 할머니는 평소와 크게 다르지 않았다. 아직 모르고 있는 것이 분명했다. 사실대로 말을 해야 하나 고민도 했지만 도저히 용기가 나지 않았다.

그날 밤 할머니는 동네에 친한 할머니 집에 놀러 가고 나는 거실

에 앉아 TV를 보고 있었다. 화장실을 다녀오던 아빠가 나를 쏘아보
며 말했다.

"니는 학교는 뭐 하러 다니노? 공장 같은 데 가서 돈이나 벌지."

뜬금없이 시비를 거는 아빠를 매섭게 노려보았다.

"가시나가 뭐 한다고 인문계 고등학교까지 가서 지랄이고? 뭐?
대학이라도 갈라꼬?"

"뭐 상관인데? 내가 학교 가는데 니가 보태준 게 뭐 있다고?"

"야 이 썩을 년아! 나쁜 친구들하고 어울리기나 하고 공부도 안 하
면서 뭐 한다꼬 학교를 다니냐고? 학교서 도둑질이나 배울 것 같으
면 당장 학교 그만두라!"

담임 선생님의 전화를 아빠가 받은 게 분명했다.

아빠는 나를 죽은 벌레 쳐다보듯 내려다보며 혼잣말처럼 중얼거
렸다.

"가시나를 뭐 한다꼬 인문계로 보냈노? 고등학교까지 보낼 생각이
었으모 고마 실업계를 보내가 빨리 공장에 취직이나 시키지..."

아빠에게 그런 비난을 듣는다는 것이 억울했지만 내가 한 짓이 떳
떳하다고 말할 수도 없었다. 내가 잘못한 게 맞기 때문에 말문이 막혀
버린 것이다.

주말이 지나고 월요일, 여느 때와 다름없이 보육원으로 등교를 해
사무실을 청소했다. 보육 선생님은 그날은 오전에 상담을 하자며 우
리를 동그란 테이블에 앞에 앉게 한 뒤 종이를 한 장씩 나눠 주었다.
종이에는 당신의 무덤 앞에 세워질 비석을 그림으로 그리고, 그 비
석에 채워질 내용을 쓰라고 적혀 있었다.

'내가 죽은 뒤 무덤 앞에 세워질 비석이라니? 그리고, 그 비석에 새겨질 내용?'

선생님은 30분 정도 자리를 비켜주겠다며 사무실을 나갔다. 잠시 생각에 잠겨 있던 나는 정성을 다해 그림을 그리고, 비석에 새겨질 내용을 진지하고 솔직하게 적었다. 희주도 제법 진지하게 종이를 채워 나갔다.

30분 뒤, 선생님은 우리가 그린 그림과 적은 내용에 대해 세세하게 질문을 했다.

"소희는 비석에 '마음을 울리는 글을 썼던 작가가 이곳에 잠들다' 라고 썼네? 소희는 작가가 꿈인가 보네?"

희주도 놀란 듯 나를 쳐다보았다.

"니 작가가 꿈이가?"

희주와 어울려서 많은 시간을 보냈지만 진지하게 우리의 미래나 꿈에 대해 이야기해 본 적은 없었다.

"응. 문예 창작과나 국어 국문과를 가서 작가가 되고 싶다."

흐뭇한 미소를 짓던 선생님이 나를 향해 물었다.

"어떤 글을 쓰고 싶은데? 소설?"

"예. 소설가가 되고 싶어요."

"너무 멋진 꿈이네~ 소설을 써서 베스트셀러 작가가 되고 싶나?"

잠시 망설이던 나는 선생님의 눈치를 보며 말했다.

"저는..... 작가가 돼서 노벨 문학상을 받고 싶은데요."

내 입으로 말해놓고도 너무 터무니가 없어 어색하게 고개를 숙였다. 눈을 동그랗게 뜬 선생님이 환하게 웃었다.

"안될 것도 없지!! 꿈은 클수록 좋은 거다!"

한동안 내 꿈에 대해 이야기를 하며 용기를 북돋아 주던 선생님은 유치원 선생님이 되고 싶다는 희주와도 한참을 이야기를 나누었다.

상담 시간이 끝나갈 때쯤 선생님이 말했다.

"마산 제일 여고에서 사회봉사 오는 아이들을 이제껏 많이 봐 왔는데... 너희 둘처럼 착한 아이들을 본 적이 없다. 지난 일주일 동안 한 번도 지각한 적도 없고 꼬박꼬박 청소도 열심히 하고 아이들한테도 너무 잘하고... 소희랑 희주가 왜 남의 물건을 훔치게 됐는지 그 이유는 자세히 모르겠지만 느그 둘은 나중에 꼭 훌륭한 사람이 될 것 같다는 생각이 든다. 앞으로 나쁜 짓 안 하고 공부도 열심히 해서 여기에 적힌 것처럼 이루고 싶은 꿈도 언젠가 꼭 이룰 것 같고."

두 번째 주도 눈 깜짝할 사이 흘러가고 드디어 사회봉사 마지막 날이 되었다. 아이들과 정이 많이 들어서인지 그날은 유난히도 힘들었고 모든 순간이 감정적으로 다가왔다.

오전 간식시간이 되자 아이들은 다른 날과 다름없이 선생님 앞에 동그랗게 모여 앉았다. 그날 간식은 요구르트와 작은 쿠키였다. 순서대로 간식을 받은 아이들은 누가 뺏어 먹기라도 하는 듯 허겁지겁 먹어 치웠다. 그중에서 유난히 음식에 집착을 하던 남자아이 한 명이 순식간에 간식을 다 먹고 선생님에게 더 달라고 손을 내밀었다. 한 명이 엉겨 붙자 다른 아이들도 더 달라고 때를 쓰기 시작했다.

아침식사를 한지 얼마 안 된 시간이었는데도 아이들은 며칠을 쫄쫄 굶은 것처럼 배가 고프다며 선생님의 팔을 잡아당겼다. 늘 있어 오던 일이라 그러려니 하던 것들이 그날따라 괜히 더 마음을 아프게 했다.

간식시간이 끝나고 선생님에게 조심스럽게 물었다.

"선생님, 아이들이 왜 저렇게 음식에 집착하는 거예요? 아침 먹은 지 얼마 안 돼서 배도 많이 안 고플 텐데..."

간식 테이블을 정리하던 선생님이 나를 마주 보고 앉았다.

"욕구불만 때문에 그러는 거다."

"네? 욕구불만이요?"

"응, 저 나이 때 아이들은 부모님한테 넘칠 정도로 사랑을 받아야 하는데 그러질 못하니까 그 욕구불만을 다른 욕구로 채우려고 하는 거지. 부모님의 사랑과 보살핌을 받지 못해서 생긴 결핍을 다른 욕구를 충족시켜서라도 메꾸려는 건데... 먹는 게 가장 쉬운 방법이니까. 그 두 가지가 다른 욕구라는 걸 구별하기엔 아이들이 너무 어리잖아."

돌멩이로 뒤통수를 맞은 듯 잠시 멍 해졌다. 저 작은 아이들이 심리적 결핍을 먹는 욕구를 충족시켜 채우려 한다니... 간식을 더 달라고 조르던 아이들의 얼굴 하나하나가 머릿속을 스치고 지나갔다.

차오르는 눈물을 겨우겨우 참고 있는데 이번엔 옆에 앉아 있던 희주가 선생님에게 물었다.

"저번에 보니까 부모님들이 한 번씩 찾아오는 것 같던데요."

나도 물어보고 싶었던 것이었다. 보육원에서 봉사활동을 하기 전까지는 보육원이나 고아원은 부모가 없는 아이들이 가는 곳으로 만 알고 있었기에 한 번씩 아이들을 보기 위해 찾아오는 부모들을 보곤 늘 궁금해했던 것이었다.

"여기엔 부모님이 아예 안 계셔서 지내는 아이들도 있지만 부모님들이 경제적으로 너무 힘들거나 이혼 등의 이유로 아이들을 키우지 못해서 일시적으로 맡긴 경우도 많거든... 그래서 가끔 부모님들이 아이들을 보러 오는 거다."

아이들은 엄마나 아빠가 찾아오면 자신도 데려가라며 소리를 지르면서 울곤 했다. 그런 아이들을 두고 돌아서야 하는 부모의 마음은 어땠을까. 손이 닿는 곳에 엄마와 아빠가 있는데 같이 가지 못하는 아이들의 마음은 또 어떠했을까.

2주간의 사회봉사가 끝났다.

고작 2주의 시간이 지났을 뿐인데 내가 바라보는 세상이 달라져 있었다.

이제껏 나는 내가 버림받은 아이라고 생각하며 세상을 원망했었다. 하지만 보육원에서 봉사활동을 한 뒤 나의 관점이 완전히 달라졌다. 부모에게 버림받은 아이였을지는 몰라도 적어도 할머니와 할아버지에게는 나는 버림받은 아이가 아니었다.

지독하게 가난했던 두 분은 언제든지 나를 고아원에 보낼 수도 있었다. 밥을 할 쌀도 부족할 정도로 가난했으면서도, 아빠가 진 빚에 평생을 돈 걱정을 했으면서도, 두 분은 자신들의 품에서 나를 놓지 않았다.

그제야 깨달은 것이다. 나는 절대 버림받은 아이가 아니었다는 것을. 할머니, 할아버지의 살뜰한 보살핌 덕에 사랑과 관심에 목말라 하던 아이도 아니었다는 것을.

사회봉사 기간 동안 특별한 기억이 하나가 있는데 그건 바로 당시 영부인이었던 이희호 여사의 보육원 방문이었다. 2층 놀이방 창문 너머로 희주와 함께 이희호 여사를 몰래 훔쳐보던 것이 기억난다.

혹시나 오해하지 않았으면 한다. 당시에 나는 고작 18살이었다. 아니, 학교를 1년 일찍 들어갔으니 17살, 만 나이가 없어진 지금으로 치면 16살이었다. 당시 16살의 내가 했던 생각들을 글로 쓴 것이다. 혹시나 당신이 보육원에서 자랐다고 해서 버림받은 아이라는 뜻이 아니다. 사랑을 못 받고 자랐다는 것도 절대 아니다. 지금은 알지만 그때의 나는 겨우 이렇게 밖에 생각하지 못했다. 어쩌면 그렇게라도 생각해서 내 마음을 위로하고 싶었는지도 모르겠다. 당시의 암울했던 내 개인적인 상황에서 느꼈던 감정들, 겨우 16살이었던 내가 했던 생각들을 다시 되새기며 쓴 것이니 나의 글에 불편한 마음을 갖지 않았으면 한다.

할머니는 싸구려 틀니 때문에 자주 음식을 흘렸다
17. 나의 18살(_5). 나는 엇나가는 아이였다.

2학년 1학기가 끝날 때쯤 아빠가 시골집을 나갔다. 자신의 생각대로 일을 밀어붙이기만 하면 떼돈을 벌 거라던 아빠는 6개월도 되지 않아 빚만 남긴 채 사라져 버린 것이다.

어김없이 빚이 늘고 걱정도 늘었지만 드디어 아빠가 사라졌으니 평화를 되찾았다고 생각했다. 다시는 돌아오지 마라. 제발, 우리 앞에 나타나지 마라. 그렇게 바라고 또 바랐지만 여름방학이 지나고 2학기가 시작된 지 얼마 되지 않아 아빠는 다시 시골집에 나타났다.

이번엔 혼자가 아니었다. 함께 나타난 여자는 40대 중후반 정도로 보였고 내가 7살 때 좋아했던 예쁜 언니와 분위기가 비슷했다. 이제 껏 봐왔던 짙은 화장에 짧은 치마를 입고 다니던 여자들과는 달리 수더분하고 순한 인상이었다. 여러 개의 캐리어 가방을 가지고 시골집에 나타난 두 사람은 원래는 내 방이었던, 올해 초 아빠가 사용하던 작은방을 신혼 방으로 만들었다. 두 사람이 당시에 결혼을 한 상태였는지, 아니면 혼인신고만 한 것인지, 아니면 그저 동거를 한 것인지 나는 알지 못한다.

할머니와 고모들을 비롯해 모든 가족들은 또 비상이 걸렸다. 여자와 함께 나타난 아빠가 무슨 짓을 벌릴지, 또 어떤 이유를 들어 돈을 뜯어갈지 알지 못했기 때문에 매일이 불안과 긴장의 연속이었다. 둘이서 방을 구해 나가 살라 고도 했지만 아빠는 막무가내였다.

도저히 이해할 수가 없었다. 주제도 안되면서 왜 늘 여자를 끼고 사는지... 또 여자들은 저런 형편없는 남자가 어디가 좋다고 따라붙는 것인지...

첫 한 달은 시골집에 내려가도 아빠와 그 아줌마를 없는 사람 취급하며 철저하게 무시했다. 식사도 따로 상을 봐서 할머니와 둘이서 먹었다. 잇몸에 맞지 않는 싸구려 틀니를 끼고 있던 할머니는 잇몸의 통증 때문에 연하고 부드러운 반찬을 곁들이거나 국에 말아서 식사를 하곤 했는데 아줌마가 만든 반찬은 온통 질기고 자극적인 것들 밖에 없어서 함께 먹는 것도 불가능했다.

한 달쯤이 지나고 시골집을 찾았을 땐, 할머니는 직접 음식을 만들어 식사하는 것을 포기한 듯했다. 할머니가 주방에서 무언가를 만들고 있으면 아빠는 더럽다며 할머니를 쫓아내곤 했으니 말이다.

아줌마는 거실에 커다란 상을 펴곤 온갖 종류의 질긴 나물과 각종 쌈 채소, 간이 센 장류들을 잔뜩 올려 점심을 먹자고 했다. 네 사람의 밥그릇과 국그릇을 올릴 공간도 없을 정도로 과한 상차림에 짜증이 밀려왔다. 제대로 일도 안 하면서 이런 반찬거리는 무슨 돈으로 사는 건지, 한 끼 식사를 하면서 왜 20가지가 넘는 반찬을 꺼내놓고 먹어야 하는지 이해할 수가 없었다.

인상을 찡그리고 밥상을 노려보는데 할머니가 자신의 밥그릇과 국그릇을 방바닥에 내려놓고 식사를 하기 시작했다.

"할매! 왜 그릇을 바닥에다 놓고 밥을 먹노? 상 위에 올려놓고 먹어라."

".... 아이다... 내는 요래 묵는 기 편하다..."

"편하기는 뭐가 편하노?!!"

나는 상 위에 있던 쌈 채소와 쓸데없어 보이는 김치와 쌈장 따위를 바닥에 거칠게 내려놓은 뒤 할머니의 밥그릇과 국그릇을 상 위에 올렸다.

"올려놓고 먹어라! 할매가 여기 집주인인데 왜 바닥에다가 음식을 내려놓고 먹냐고!"

".... 아이고.... 내는 괜찮다...."

"괜찮기는 뭐가 괜찮노!! 밥 한 끼 먹는데 쓸데없이 이렇게 많이 꺼내 놓고 먹을 필요 있나!!!"

순간 숟가락이 상 위로 날아왔다.

"아이! 씨발!! 조용히 안 하나? 씨발년이! 왜 이렇게 말이 많노?"

나를 향해 숟가락을 집어던진 아빠가 입에 든 음식을 삼키지도 않고 소리를 질렀다. 입에 든 음식이 사방으로 튀었다. 나도 똑같이 숟가락을 집어던지며 대들었다.

"지금 여기서 제일 시끄러운 건 니거든!"

"이 미친년이!!"

자리를 박차고 일어나려는 아빠의 팔을 아줌마가 잡아당겼다.

"고만하소! 밥 먹다가 이게 뭐 하는 짓인교?"

"저 싸가지없는 년 말하는 걸 보고도 그라나? 저 천하에 버르장머리 없는 년!!"

씩씩거리던 아빠가 아줌마의 성화에 집 밖으로 나가고 나는 아줌마를 향해 쏘아붙였다.

"틀니가 안 맞아서 제대로 씹지도 못하는데, 이런 쓸데없는 반찬으로 어떻게 밥을 먹으라는 건데요? 부엌도 제대로 사용하지도 못하게 하고!! 할매가 자기 집에서 왜 아줌마랑 아빠 눈치를 보냐고요!!"

아줌마는 아무런 말 없이 그대로 앉아 있었다.

"아줌마! 제발 부탁인데요. 둘이서 나가서 사세요! 우리 할매 괴롭히지 말고 둘이서 나가서 살라고요!!"

할머니는 고혈압과 동맥경화, 뇌졸중으로 늘 기운이 없고 쇠약했으며 그때쯤 진단을 받았던 당뇨병까지 더해져 온몸의 저림 증상과 통증으로 힘들어했다. 제대로 식사를 하지 못하면 저혈당 증상까지 겹쳐 며칠을 앓아눕기도 했다. 그런 할머니를 향한 아빠의 폭언은 날이 갈수록 심해졌고 늘 당당하고 자신감 넘치던 할머니는 점점 아빠를 두려워하게 되었다.

그 두려움은 신체적 약자로서의 두려움이었다.

그 두려움은 무자비한 폭력으로 목숨을 잃을지도 모른다는 죽음에 대한 공포와 비슷한, 그런 두려움이었다.

그다음 주 주말 시골집으로 내려갔다. 그날도 할머니는 방바닥에 밥그릇과 국그릇을 내려놓고 밥을 먹기 시작했다. 나는 할머니의 그릇을 상 위로 옮겨 주며 말했다.

"할매, 천천히 꼭꼭 씹어서 무라... 잇몸이 많이 아프나?"

".... 개안타... 어서 밥 무라. 니 배고프다."

눈치를 보는 할머니는 긴장을 해서인지 아니면 덜렁거리는 틀니 때문인지, 그것도 아니면 안 맞는 틀니가 잇몸을 찌르는 통증 때문인지 그날따라 유난히 음식을 많이 흘렸다.

"아! 씨발! 더러버서 못 묵겠네!!"

갑자기 자리에서 일어난 아빠가 옆에 놓여 있던 냄비 뚜껑을 할머니를 향해 집어던졌다.

"나가서 살아라! 아무짝에도 쓸모없는 늙은 할망구가 와 여기서 사노!!"

용수철처럼 자리에서 발딱 일어난 나는 날아온 냄비 뚜껑을 아빠를 향해 다시 집어던지며 악을 썼다.

"야 이 미친놈아! 니가 나가라!! 여기가 할매집이지 니 집이가? 왜 마음대로 들어와서 지랄인데!"

"이 씨발년이!!"

단번에 손을 들어 올려 나를 향해 뛰어오는 아빠를 아줌마가 있는 힘을 다해 붙들었다. 그 사이 자리에서 일어난 할머니가 도망치듯 거실을 가로질러 안방을 향해 가는 것이 보였다. 할머니를 확인하느라 잠시 고개를 돌린 사이 갑자기 휙- 하며 내 옆으로 시커먼 무언가가 날아갔다. 할머니의 몸을 간신히 비켜간 커다란 까만 비닐봉지가 벽에 부딪히며 퍽! 하는 격한 마찰음을 냈다. 봉지 안에 들어있던 콩 자루가 터지며 노란 콩이 사방으로 튀었다. 정통으로 맞았다면 할머니가 크게 다쳤을 것이다.

"아이고!!"

놀란 할머니가 소리를 지르며 그대로 웅크리고 앉았다. 아빠가 할머니를 향해 소리쳤다.

"이 집에서 나가라!! 늙으면 눈치껏 나가서 죽어야 될 꺼 아이가! 절에 가라! 절에 가서 살다가 죽어삐라!!"

격분한 나는 아빠를 향해 몸을 날려 멱살을 잡았다. 죽을힘을 다해 아빠를 뒤로 밀었다.

"니가 나가라!! 나가서 죽어야 되는 건 니다! 이 씨발새끼야!!!"

"이 년이!!"

아빠가 막 내 얼굴을 내리치려는데 아줌마가 중간에 끼어들며 소리쳤다.

"그만하소! 그만하라꼬요!!"

아줌마의 성화에 아빠가 주춤 뒤로 물러났다.

피식, 웃음이 났다.

"꼴에 여자 말이라면 또 듣는갑지? 능력도 안되면서 여자 없이는 또 못 사는갑지? 어? 어?!"

"이! 씨발! 오늘 내가 니를 죽이삔다!!"

나를 죽여버리겠다는 아빠가 부엌을 향해 몸을 돌리자 아줌마가 있는 힘을 다해 아빠에게 매달렸다.

"뭐 하는 짓인교? 그만하소!! 소희, 니도 그만해라!!"

나를 향해 소리를 지르는 아줌마를 향해 나는 도끼눈을 뜨고 덤벼들었다.

"아줌마가 뭔데 나한테 이래라저래라 하는데요? 아줌마, 나 알아

164

요? 언제부터 날 봤다고 이래라저래라 하냐고요!!!"

뒤돌아선 아빠가 형용할 수 없는 욕설을 퍼붓는 동안 나는 아줌마의 얼굴에서 눈을 떼지 않았다.

"아줌마!! 내가 충고 하나 할까요?"

"....."

"내가 지금까지 셀 수도 없이 많은 여자를 봐 왔거든요! 그런데 전부 다 몇 달 못 버티고 도망쳤어요! 여자들이 왜 도망쳤는지 이제 좀 알겠어요? 알겠냐고요!! 아줌마도 나중에 후회하기 싫으면 지금 당장 도망치는 게 좋을 거예요!!"

"주둥아리 안 닥치나!!"

아줌마가 잠시 방심한 틈에 아빠가 내 머리채를 잡았고 나는 있는 힘을 다해 악을 썼다.

"악!!!!"

온 힘을 다해 아빠와 몸싸움을 하다 아줌마와 할머니가 양쪽에서 뜯어말려 겨우 떨어져 나왔다.

덜덜덜 몸을 떨던 나는 이 지긋지긋한 상황을 지금, 이곳에서 끝내버려야 한다고 생각했다. 이 인간이 살아있는 이상 이 지옥은 끝나지 않을 것이므로.

'부엌에 칼이 있다.'

그 생각이 머릿속에 떠오르는 순간 온몸의 피가 거꾸로 돌았다. 욕설을 내뱉는 아빠의 목소리가 차츰 소리를 잃어가고 나를 때리려고 손을 들어 올리는 동작과 악귀 같은 얼굴이 슬로 모션처럼 느려지다 시야에서 점차 멀어졌다.

'부엌에 칼이 있다.'

눈앞이 흐릿해지고 머리가 깨질듯한 두통이 밀려왔다. 얼굴에 열이 올라 점점 뜨거워지더니 곧장이라도 터질 것처럼 피가 쏠렸다.

'부엌에 칼이...'

순간 다리가 곱아들어 무너지듯 자리에 주저앉았다.

"아이고!! 소희야!! 야가 와 이라노?!"

양팔과 다리에 감각이 없어진 지 오래였다.

"우짜꼬... 야를 우째야 될꼬... 소희야! 정신 차리라."

할머니의 울음소리가 귓전에 울리고 가물거리는 시선을 저릿거리는 양손으로 옮겼다. 손가락이 사방으로 뒤틀려 제멋대로 곱아들어 있었고 발가락과 양쪽 다리도 괴상한 모양으로 굽어 뒤틀려 있었다.

"씨발! 가지가지 한다!!"

해괴한 모습으로 바닥에 앉은 나를 아빠는 가소롭다는 듯이 노려보았다. 아줌마가 아빠를 데리고 집 밖으로 나가고 할머니가 내 손과 발을 주물럭거렸다.

"소희야, 얼른 정신 차리라! 하이고... 손가락이 와 이리 되노?"

온몸의 피가 머리로 쏠려 얼굴은 터질 듯이 붉었고 손과 발, 팔과 다리에는 피가 모자라 사정없이 뒤틀려진 채 몸을 떨었다.

이 세상의 모든 저주가 저 인간에게 향하기를.

이 세상의 모든 불행이 저 인간에게 닿기를.

삼십 분 정도가 지나고 곱아든 손가락과 발가락이 펴졌다. 실핏줄이 터져 작은 주근깨 같은 점상 출혈이 얼굴 전체를 뒤덮고 있었다.

이 일은 평생 내 몸에 각인처럼 새겨졌다. 내가 본 것을 잊지 말라는 신호처럼, 내 눈과 나의 몸에 깊이 뿌리를 내렸다.

할머니를 향한 아빠의 폭력은 내 오른쪽 눈에 각인되었다

18. 나의 18살(_6). 나는 엇나가는 아이였다.

그 일이 있고 난 뒤 며칠간 두통이 지속되었고 계속 기운이 없었다. 자고 일어나면 괜찮아지겠지, 두통약을 먹고 나면 괜찮아지겠지 싶어 집에 오면 계속해서 잠만 잤고 시도 때도 없이 두통약을 먹었다.

내가 무기력하게 통증을 받아들이는 동안 반 친구들은 얼마 뒤로 다가온 수학여행으로 한층 들떠 있었다. 나는 수학여행 비용이 너무 비싸 이미 오래전에 가지 않겠다고 선생님에게 말해 놓은 상태였기 때문에 그런 낯선 들뜸에 흥분하지 않았다.

일주일 정도가 지났다. 두통은 많이 좋아졌지만 오른쪽 눈꺼풀이 점차 처지더니 아예 눈을 뜨는 것조차 힘들 지경이 되었고 물체가 두 개로 겹쳐 보이기 시작했다. 복시 때문에 어지럼증이 유발되어 똑바로 걷는 것도 힘들었다. 오른쪽 눈을 가리고 왼쪽 눈으로만 보면 복시도 없고 어지럽지도 않아 아예 오른쪽 눈을 안대로 막아버렸다.

친구들이 2박 3일의 수학여행을 가는 날이었다. 수학여행을 가지 않는 나 같은 아이들은 따로 학교에 모여 자율학습을 해야 했기에 학교에서 어영부영 시간을 때우고 중리에 있는 삼촌 집으로 향했다. 할머니가 한방병원에서 처방해 주는 뇌졸중 약을 받기 위해 중리로 온다고 했기 때문이었다.

안대를 하고 나타난 나를 보곤 할머니가 물었다.

"다래끼가 났나?"

"아니, 그냥 눈꺼풀이 계속 처져서..."

숙모가 놀라서 다가왔다.

"눈꺼풀이 처진다꼬? 왜?"

"나도 몰라. 눈꺼풀이 너무 무거워서 눈이 안 떠진다. 계속 두 개로 보여서 어지럽기도 하고..."

안대를 벗어 숙모와 할머니에게 보여주었다. 거의 감기다시피 한 오른쪽 눈꺼풀을 본 두 사람은 충격을 받은 듯 목소리를 높였다.

"아이고! 니 눈이 와 그렇노?!"

"뭐꼬? 눈꺼풀이 아예 안 올라가나?"

숙모는 손가락을 들어 내 눈앞으로 가져왔다.

"내 손가락이 두 개로 보이나?"

"응. 하나는 여기 있고 다른 하나는 저기 있고."

제법 거리가 있는 두 개를 가리킨 뒤 두 눈을 질끈 감았다. 복시 때문에 다시 어지럼증이 일었기 때문이었다. 숙모가 걱정스레 중얼거렸다.

"병원을 가야 될 것 같은데..."

169

다음날 조퇴를 하고 마산역 근처에 있는 김안과라는 커다란 안과로 향했다. 건물 앞에서 숙모가 기다리고 있었다. 안과 의사는 간단한 검사를 한 뒤 나에게 이것저것 묻기 시작했다. 눈꺼풀 처짐 증상과 복시가 언제부터 시작되었는지, 걸음이 이상해지지는 않았는지, 온몸의 근육에 힘이 없거나 갑자기 쓰러진 적이 없었는지, 음식을 삼키는 것은 괜찮은지, 그리고 숨 쉬는 것은 괜찮은지.

눈꺼풀 처짐과 복시, 어지럼증과 기운이 없는 것 빼고는 다른 증상은 없다고 말하자 의사는 안과적인 문제가 아니라 신경과 문제이니 최대한 빨리 경상대병원 신경과 최정욱 교수님에게 가라며 진료의뢰서를 써주었다. 종합병원에 가면 진단이나 치료가 안 되니, 꼭 그교수님에게 가라며 신신당부를 하며 말이다.

숙모를 통해 소식을 들은 할머니는 바로 다음 날 경상대병원으로 가자고 했다. 미리 예약도 없이 무작정 병원을 찾아 외래 접수가 안된다는 걸 사정 사정을 해서 겨우 접수를 했다. 꼬박 8시간을 기다리고 나서야 내 이름이 호명되었다.

진료실 안에는 나이가 지긋한 교수가 앉아 있을 거라는 예상과는 달리 젊은 남자 레지던트가 앉아 있었다. 그 레지던트는 내 눈꺼풀을 들었다 놨다를 반복하며 이것저것 세세하게 묻더니 커다란 의학 서적을 꺼내 한참을 뒤적거렸다.

"하... 모르겠는데..."

한숨을 내쉰 레지던트가 잠시만 있어보라며 자리를 비웠다. 10분정도 뒤에 머리가 하얗게 센 중년의 남자 의사가 진료실로 들어왔다. 인상이 무척이나 좋은 의사는 안과 의사가 의뢰서를 써주었던 그 교수였다.

교수는 이미 레지던트에게 증상 설명을 듣고 왔는지 간단한 것만 몇 가지 묻더니 가운 주머니에 꽂혀 있던 만년필을 꺼내 내 이마 위쪽에 올렸다.

"고개는 들지 말고 눈만 올려 떠서 만년필 한번 쳐다볼래?"

만년필을 올려다본 지 몇 초 지나지 않아 반 이상 내려앉아 있던 오른쪽 눈꺼풀이 완전히 감겨버렸다. 순간 묵직하게 짓누르는 통증이 밀려와 두 눈을 질끈 감았다. 교수는 내 어깨를 토닥이며 물었다.

"아침에 증상이 심한 것 같나? 아니면 저녁에 증상이 심한 것 같나?"

"아침에 자고 일어나면 그래도 좀 덜한데... 오후가 되면 눈이 더 무거워지는 거 같아요."

"그래."

교수는 확신을 한 듯 진료차트에 무언가를 써 내려가기 시작했다. 할머니가 양손을 앞으로 공손히 모으고 교수에게 물었다.

"... 큰 병입니까?"

"입원을 하는 게 좋을 것 같습니다."

"아이고! 입원까지 해야 됩니까?"

진료차트를 마저 작성한 교수가 할머니와 나를 번갈아 보며 말했다.

"중증 근무력증이라는 희귀병입니다."

"중증..."

생소한 병명에 나와 할머니는 순간 긴장을 했다.

"신경 접합부에 신경 전달 물질이 근육으로 전달이 돼야 근육이 움직일 수가 있는데 그 전달에 이상이 와서 생기는 병입니다. 대부분 눈꺼풀에서 시작해서 나중에는 온몸으로 퍼지게 되는데... 이게 나중에 심해지면 호흡근까지 침범하게 돼서 호흡근이 마비될 정도로 위험한 병이거든요. 그러니까 입원을 해서 병이 얼마나 진행이 됐는지 확인도 해보고 가능하면 빨리 약을 써서 경과도 보는 게 좋을 것 같습니다."

덜컥 겁이 났다. 나보다 할머니가 더 겁을 먹은 듯 손을 떨었다. 나는 애써 목소리를 가다듬고 교수에게 물었다.

"원인이 뭐예요? 이때까지 한 번도 이런 적이 없었는데 갑자기 2주 전부터 눈꺼풀이 처졌거든요."

"중증 근무력증은 원인을 모른다. 이게 자가 면역질환이라서 니 몸 안에서 아세틸콜린 수용체를 공격하는 항체를 생성하는 건데..."

교수는 아직 어린 나와 할머니에게 비교적 쉽게 설명할 수 있는 말을 찾느라 잠시 머뭇거렸다.

"여러 가지 학설이 있기는 한데 모계 유전이라는 학설도 있고 극심한 스트레스 때문에 증상이 발현한다는 학설도 있고. 엄마나 외가쪽에 중증 근무력증이 있는 사람이 있었나?"

망설이던 내가 솔직하게 대답했다.

"... 엄마가 없어서... 그건 잘 모르겠어요."

당황한 듯 목을 가다듬은 교수가 다시 물었다.

"아, 그렇나... 그라모, 최근에 극심하게 스트레스 받는 일이나 충격적인 일 같은 게 있었나?"

아빠와 있었던 일이 머릿속에 떠올랐다.

"아... 예... 조금."

교수는 내 어깨를 다시 토닥이며 말했다.

"고등학생이니까 학교 공부 때문에 받는 스트레스도 많겠지. 그래도 빨리 잘 왔다. 안과에서 빨리 진단을 내리고 잘 보내줬네."

가만히 듣고 있고 있던 할머니가 교수를 향해 물었다.

"오늘 바로 입원을 하는 기 좋겠지예?"

"예, 오늘 바로 입원을 합시다."

신경과 병동에 병실이 없어 안과 병동으로 입원실이 잡혔다. 태어나 처음으로 병원에 입원이란 것을 했다.

6인실, 문에서 가장 가까운 침대로 배정받았다.

다음 날 쉴 틈 없이 검사를 받다 보니 어느새 늦은 밤이 되었다. 화장이 짙은 간호사 한 명이 내일 아침에 CT를 찍기 위해서 굵은 주삿바늘을 꽂아야 한다며 병실로 들어왔다. 지금 팔에 있는 주사도 겨우 버티고 있는데 더 굵은 걸 꽂아야 한다고? 간호사는 내 팔 위쪽에 고무줄을 묶고 초록색 주삿바늘을 꺼내 들었다. 그냥 보기에도 너무 굵어서 흠칫 겁이 났다.

"쪼금 따끔한다이!"

"흑!!"

온몸이 배배 꼬일 정도로 아팠다. 너무 아파서 눈에 눈물이 찔끔 고였다.

"니 엄살이 엄청 심하네!"

아파하는 나를 간호사가 인상을 찡그리고 바라보았다. 옆에서 지켜보던 할머니가 화를 내며 말했다.

"아이고. 아직 애가 어린데, 당연히 주사가 아프지요! 바늘도 굵드만... 좀 부드럽끄로 안 하고... 그리 거칠게 팍팍하모 안 아플 것도 아프긋네."

간호사는 할머니를 흘겨보며 말했다.

"주삿바늘이 살을 찌르는데 당연히 아프지요! 그걸 하나 못 참고!"

쌩하고 간호사가 병실을 나가버리고 구시렁거리던 할머니가 내 팔을 부드럽게 쓰다듬었다. 정말로 내가 엄살이 심한 것인지 아니면 그 간호사가 주사를 못 놓는 건지 알 수 없었지만 주사를 꽂은 왼팔이 저리고 아파 밤새 잠을 자지 못했다.

다음날 오전 CT를 찍고 난 뒤엔 오후에 있을 텐실론 검사라는 것을 받기 전까지 다른 예약은 없었다. 너무 갑자기 입원을 해 수저나 물컵 같은 것도 없어서 할머니는 오후 5시 버스를 타고 집에 가서 필요한 물건들을 가지고 돌아오겠다고 했다.

다음날도 각종 검사를 받았다. 새벽부터 피검사를 하고 오전에 교수가 보는 앞에서 한 번 더 텐실론 검사라는 것을 했다. 어제 오후에 집으로 갔던 할머니는 텃밭에 일이 많아 저녁 버스를 타고 병원으로 오겠다고 병실로 전화를 했다.

너무 심심했다.

'책이라도 가지고 올 걸...'

하릴없이 병실 침대에 멍하게 앉아 있기를 한참, 누군가 병실 문을 열고 들어오며 나를 불렀다.

"소희야."

'어? 우근이?'

중학교 때 친구 우근이였다.

진주에 있는 남자 고등학교로 갔던 친구로 중학교를 다닐 때 제법 친하게 지낸 친구였다. 공부도 잘했고 노래도 잘하는 데다 성격도 좋아 친구들 사이에서 인기도 많았던 아이였다.

"우근아! 니가 어떻게 여기를 왔노?"

반가움과 놀라움에 얼굴에 절로 미소가 걸렸다.

"니가 병원에 입원했다고 해서 오늘 학교 마치고 잠깐 들렀다."

"내가 병원에 입원한 건 어떻게 알고?"

"그냥 우찌 알았다."

연서가 알려줬겠거니 생각하며 땀을 뻘뻘 흘리는 우근이에게 옆에 놓인 의자를 가리켰다.

"거기 의자에 앉아라. 밖이 많이 덥나?"

"아니, 그게 아니고, 1층에서 원무과 직원한테 니 병실을 물어봤는데 니 이름이 계속 안 뜬다고, 없다고 하는 기라. 그래서 병원을 전부 다 뒤졌다 아이가."

"어?!"

"병실마다 다니면서 이름을 전부 다 확인했다. 두 시간 걸렸네."

"두 시간이나 병원에서 헤맸다고?"

"어. 근데 괜찮다. 허허허."

옷소매로 이마에 맺힌 땀을 닦아내는 우근이에게 시원한 음료수라도 건네고 싶었으나 할머니가 자리를 비운 사이 병실의 보호자 한 명이 떠다 준 뜨거운 보리차 말고는 아무것도 없었고 돈도 없었다.

우근이는 뜨거운 물도 괜찮다며 한잔 달라고 부탁을 했다. 컵도 없어 요플레 통에 물을 따라주고 우근이가 사가지고 온 과자를 나눠 먹었다.

둘이서 무슨 이야기를 했는지는 기억나지 않는다. 그저 내 이름을 찾느라 두 시간이나 병원을 돌아다녔다며 땀을 닦아내던 우근이의 모습과 요플레 통에 담긴 뜨거운 물을 후후 불어가며 마시던 그의 얼굴만 기억이 날뿐.

우근이가 가고 저녁 늦게 할머니가 도착했다. 우근이가 다녀갔다는 이야기를 하자 어제 집에 가는 버스 안에서 우근이의 할머니를 우연히 만나 내가 입원했다는 이야기를 해줬다고 했다.

그래서 알았구나...

우근이는 자신이 할 수 있는 최선의 방법으로 나를 위로하고 싶었던 건지도 모르겠다. 이혼 가정과 할머니 밑에서 자랐다는 공통점이 있는 나를 제 나름의 방식으로 응원하고 싶었으리라.

병실을 나가며 우근이는 나에게 몸조리 잘하고 아프지 말라고 했다. 나는 고맙다고, 찾아와 줘서 정말 고맙다고 말했다. 지금도 그 일을 생각하면 우근이의 따뜻한 마음이 눈물겹도록 고맙다.

다음날 아침, 눈꺼풀에 침을 꽂아 검사를 하는 근전도 검사는 할 필요가 없을 것 같다며 그날부터 약 처방을 하겠다고 했다. 약을 시작하고 난 뒤 피검사로 혈중 농도를 파악하고 부작용도 지켜봐야 하기 때문에 삼사일은 더 입원해 있어야 한다고 했다.

아침식사 후 약을 먹고 쉬고 있는데 뜬금없이 아빠가 병실에 나타났다.

'저 인간이 왜 여기에...'

아빠는 다짜고짜 침대 옆으로 다가와 내가 맞고 있던 수액을 최고 속도로 올렸다.

"이런 거는 한 시간 만에 다 맞는 기다! 이리 천천히 맞아서 어느 세월에 다 맞을라꼬?"

빨라진 수액 탓에 갑자기 심장이 벌렁벌렁거렸다.

"다시 낮춰라!! 심장이 너무 빨리 뛰잖아!!"

마침 지나가던 간호사가 내 목소리를 듣고 병실로 들어왔다.

나를 항상 다정하게 대해주던 만삭의 간호사였다. 간호사는 급히 속도를 조절한 뒤 아빠를 다그쳤다.

"수액을 이렇게 빨리 틀면 어떡합니까? 큰일 납니다!"

"큰일은 무슨 큰일!! 내가 의사보다 더 잘 아는데! 그런데 니 진짜로 아파서 입원해 있는 거 맞나? 엄살 부리는 거 아이가?"

아빠는 자신이 의사를 만나보겠다며 간호사에게 의사를 부르라고 했다. 얼마 지나지 않아 나를 전담했던 쾌활한 여자 레지던트가 병실로 와 나의 병과 이제까지 진행했던 검사와 그 결과, 증상 경과 등에 대해 조목조목 설명했다. 아빠는 레지던트의 말을 듣는 둥 마는 둥 하더니 퉁명스레 물었다.

"가시나가 인문계 고등학교를 졸업해 봤자 뭐 하긋습니까? 쓸데 없이 돈이나 축내고 있으니까 학교를 그만두게 하는 기 낫겠지예? 눈도 저리 뱅신처럼 됐으니까 공장 같은 데 보내가 돈이나 벌게 하면 될 것 같은데."

당황한 레지던트가 내 얼굴을 살폈다.

창피해서 그 자리에서 죽을 수도 있을 것 같았다.

'저런 인간이 내 아빠라니... 내가 저런 인간과 가족이라는 이름으로 엮여 있다니...'

레지던트는 벌겋게 달아올라 엉망으로 일그러진 내 얼굴을 보곤 단번에 상황을 파악한 듯 아빠를 향해 말했다.

"여자라도 고등학교를 졸업하고 좋은 대학 가서 저처럼 의사가 될 수도 있고 여기 있는 간호사 선생님처럼 간호사가 될 수도 있습니다. 눈은 오늘부터 약을 썼으니까 금방 좋아질 거고요. 요즘은 중증 근무력증도 약이 잘 나와서 예전처럼 호흡근 마비가 와서 죽는 일도 거의 없으니까 걱정하지 마세요."

아빠가 걱정 따원 하지 않는다는 걸 훤히 아는데도 레지던트는 일부러 들으라는 듯 걱정하지 말라고 말했다.

그 후 4일을 더 입원해 있었다. 약의 용량을 조절하고 매일 피검사를 해 혈중 농도와 부작용이 있는지 등을 꼼꼼하게 체크했다.

할머니는 필요한 물건을 챙기기 위해 딱 하룻밤 병실을 비운 것 말고는 입원 기간 내내 내 옆에 있었다. 좁은 보호자 침대에서 자고 내 병원밥을 나눠 먹으며 말이다.

퇴원하는 날 아침, 오전 회진을 끝낸 레지던트가 병실을 찾았다. 그날도 어김없이 활기가 넘치는 그녀는 갑자기 내 머리를 양손으로 비비며 이상한 소리를 냈다.

"이이이이! 에이고!!! 귀여운 것!!!"

엉망으로 내 머리를 헝클어 놓은 의사는 다시 부드러운 손길로 머리카락을 정리해 주며 말했다.

"약 빼먹지 말고 꼬박꼬박 잘 챙기 무라이. 하루에 세 번! 절대 빼먹으면 안 된다이! 밤에 잠도 일찍 자고. 알긋나?"

"예, 선생님."

"한 달 뒤에 외래 오는 것도 잊지 말고, 혹시나 안검하수가 다시 생기면 최대한 빨리 병원에 오고!"

"예."

"공부 열심히 해서 나중에 좋은 대학도 가고 그래라, 알긋제?"

"예, 선생님. 감사합니다."

———

나는 메스티논이라는 주황색 약을 하루에 세 번 복용했다. 꼬박 2년 정도 복용했던 것 같은데 정확하게 기억나지는 않는다. 평생 복용을 해야 한다는 의사의 말을 무시하고 병원 갈 돈이 없어 임의로 2년쯤 뒤에 중단을 했고 몇 해 큰 이상이 없었다. 그 후 다시 증상이 발현되어 피검사와 CT 검사를 한 뒤 약을 또 복용하기 시작했다.

지금은 완전히 약을 끊은 상태이다. 나는 정말 운이 좋게도 전신형 중증 근무력증이 아니라 안구형 중증 근무력증이라고 했다. 한 번씩 피곤하거나 스트레스를 많이 받으면 오른쪽 눈꺼풀이 묵직해지기는 하지만 하룻밤 푹 자고 나면 또 괜찮아진다. 그래도 혹시 몰라 집엔 메스티논이 상비약으로 늘 보관되어 있다.

할머니의 비상금 3만 원
19. 나의 18살(_7). 나는 엇나가는 아이였다.

병원에서 퇴원을 하고 난 뒤 나는 거의 시골집에 가지 않았다. 아빠의 얼굴을 보기만 해도 북받쳐 오르는 화를 감당할 자신도 없었고 끝을 알 수도 없는 싸움에 점점 지쳐갔기 때문이었다. 대신에 할머니가 내가 지내는 자취방으로 자주 내려와 함께 시간을 보냈다.

할머니가 걱정되었다. 시골집에서 아빠와 아줌마에게 어떤 대접을 받으며 생활을 하는지, 밥은 제대로 먹고 있는지, 약은 잘 챙겨 먹는지, 아빠가 또 무슨 수작을 부려 할머니에게서 돈을 뜯어 가는 것은 아닌지... 수천 가지, 수만 가지의 걱정으로 머리통이 터질 것만 같았다. 걱정이 쌓일수록 만사에 주눅이 들었고 이유 없이 눈치가 보였다.

그런 나를 웃게 해준 건 2학년이 되면서 친해진 7명의 친구들이었다. 짝지 건희와 친해지면서 자연스럽게 그녀와 1학년 때 친하게 지냈던 소민이와 지수와도 친해졌다. 그 후, H.O.T를 좋아하는 친구

180

4명이 더 합류하면서 나를 포함해 총 8명이 그룹을 이루게 되었다.

4교시가 마치기 5분 전, 건희가 내 허벅지를 쿡쿡 찔렀다. 실내화를 똑바로 신고 뛸 준비를 하라는 신호였다. 그녀는 이미 생활복 상의를 바지춤에 찔러 넣은 채 총알처럼 튀어나갈 준비를 마친 뒤였다. 바로 뒷자리에 앉아 있던 소민이와 지수도 출발선에 선 육상 선수 못지않은 전투적인 자세로 앉아 있었다.

마침내 종이 울리고 건물 전체가 우르릉 소리를 내며 몸체를 떨었다. 한 반에 50여 명, 16개 반 아이들이 모두 급식소를 향해 뛰어 내려가는 소리였다.

번개같이 날아 급식소에 도착한 우리는 폭풍 같은 속도로 식판을 비웠다. 터질 정도로 배가 불렀지만 매점을 들르는 건 빼놓을 수 없었다. 다 같이 둘러앉아 새우깡과 자갈치를 나누어 먹으며 한창 연예인 이야기를 하던 소민이가 커다란 눈을 가늘게 뜨며 장난스레 내게 말했다.

"소희, 니 기억나나? 니 1학년 때, 우리 째려보면서 교실에서 더럽게 떠든다고 막 뭐라 했던 거."

"어?"

"1학년 2학기 말에 너네 교실에서 남고 싶은 사람들 남아서 야간 자율학습했었잖아! 그때 니가 우리한테 떠든다고 막 뭐라 했었는데."

"아... 그게 니였나?"

"내랑, 건희랑 지수랑."

얼굴이 빨갛게 달아올랐다.

"아... 미안..."

모여 있던 아이들도 모두 알고 있는 이야기인 듯 깔깔거리고 웃었다. 소민이가 웃음기 띤 얼굴로 자신의 어깨로 내 어깨를 툭 밀며 말했다.

"속은 여리면서 센 척했던 거였지 뭐!"

한창 그때 일로 웃고 떠들던 아이들은 다음 주 일요일에 우방 랜드 놀러 가는 일로 화제를 돌렸다.

"우방 랜드가 아침 10시에 문을 여니까 여기서 8시쯤에 출발하면 될 것 같다. 우리 다 고속버스 터미널에서 8시에 만날래? 동대구 가는 버스 30분마다 있더라."

"어! 그라자! 우리 집에 캠코더 있거든! 그거 들고 갈게! 비디오 찍게!"

"와! 진짜? 너네 엄마가 캠코더 가져가도 된다더나? 캡짱이다! 우리 아빠는 절대 못 가져 가게 하던데!"

"응! 엄마한테 벌써 허락 받았어!"

건희가 새우깡 부스러기를 입안으로 탈탈 털어 넣은 뒤 내게 물었다.

"소희, 니도 갈 수 있제?"

우방 랜드까지 갈 왕복 버스비와 놀이공원 자유입장권, 그리고 점심 밥값까지 생각하면 최소 3만 원은 있어야 했다. 할머니 사정을 뻔히 아는 터라 아직 친구들에게 확답을 못 준 상태였다.

"오늘 집에 전화해서 한 번 물어볼게."

그날 저녁 야간 자율학습이 시작되기 전에 시골집으로 전화를 했다. 다행히 할머니가 전화를 받았다.

"여보시오."

"할매, 내다."

"하~ 소희가? 밥은 뭇나?"

"응. 저녁 먹고 야간 자율학습 시작하기 전에 전화했다."

"오이야. 무슨 일이고?"

어떻게 말을 꺼내야 할지 몰라 괜히 복도 바닥을 실내화로 툭툭 찼다.

"와? 돈 필요하나?"

"... 친구들이 3학년 올라가기 전에 다 같이 놀이동산 놀러 가자고 해서..."

할머니의 웃음소리가 전화기 넘어 들렸다.

"그래, 친구들하고 놀러 가고 하모 좋지. 얼마나 있어야 되는데?"

"... 3만 원."

잠시 고민을 하는 듯 할머니가 뜸을 들였다. 할머니에게도 나에게도 3만 원은 큰돈이었다.

"내가 우찌 한 번 만들어 볼끄마."

그 주 주말에 시골집에 내려가니 할머니가 몰래 내 손에 3만 원을 쥐여주었다.

"아들끼리 그리 놀러 가모 위험할 수도 있는데... 괜찮긋나?"

"8명이 다 같이 가니까 괜찮을 거야!"

"그래도 조심하고 또 조심해야 된다이! 차도 조심하고이!"

꼬깃꼬깃 작게 접힌 3만 원, 할머니의 비상금이었을 그 돈을 지갑

안에 고이 접어 넣었다. 사정을 뻔히 알면서도, 할머니에게 그 돈이 큰돈이라는 걸 알면서도 어린 마음에 친구들과 놀이동산에 놀러 가고 싶었다.

그다음 주 주말, 우리는 동대구로 향하는 고속버스에 올랐다. 학교에서 내내 같이 붙어 있었는데도 무슨 할 말이 그렇게도 많은지 수다 삼매경에 빠져 있다 보니 눈 깜짝할 사이에 대구에 도착했다.

그날 우리는 오후 늦게까지 쉴 틈 없이 놀이 기구를 탔다. 구운 감자도 사 먹고 소시지에 핫도그, 라면과 김밥도 사서 나누어 먹었다. 그때 한창 유명했던 일본 영화 '러브레터'의 주인공처럼 "오겡끼데스까", "와따시와겡끼데스"를 서로에게 외치며 우방 랜드를 이리저리 뛰어다녔다.

근심, 걱정 따위는 이 세상에 존재하지 않는 것처럼 나는 하루 종일 까르르 웃었다. 놀이 기구를 타면서 소리도 지르고 간식을 먹으며 맛있다고 호들갑을 떨기도 했다.

우리는 그날, 우리를 '팔 공주'라고 이름 붙였다. 고등학교 3학년에 올라가서도, 대학을 가고 어른이 되어서도 오늘을 잊지 말자며, 꼭 연락하고 지내자고 다짐을 하며 말이다.

할머니의 전대 주머니 안에 꼬깃꼬깃 들어있던 비상금 3만 원.

그 돈은 고등학교 3년을 통틀어 가장 즐겁고 행복한 하루를 내게 선물했다. 그리고, '팔 공주'라는 친구들을 내게 선물했다.

고등학교 3학년, 340점이 목표였다
20. 나의 19살. 나는 엇나가는 아이였다.

내가 시골집에 거의 내려가지 않는 사이 아빠는 쌀농사는 돈이 되지 않는다며 할머니의 논에 배나무를 심기 시작했다. 잘 영근 배를 소매시장에 팔면 단숨에 부자가 될 거라며 커다란 논을 파헤치고 어린 배나무를 사다 심었다.

우리가 사는 지역이 배가 잘 자라는 지역인지, 배 나무를 심고 난 뒤 얼마나 지나야 배가 열리는지, 나무에 열린 배를 어떻게 관리하고 또 어떤 과정을 거쳐 도, 소매시장에 팔아야 하는지, 그런 건 아예 생각하지도 않고 배나무부터 사들여 무작정 심은 것이다.

또 톱밥 장사를 하면 돈이 된다는 이야기를 어디선가 들었는지 갑자기 선산의 나무를 자르고 톱밥을 만들어 트럭에 실어서 어딘가로 가져가곤 했다. 어떤 과정으로 톱밥을 만들었는지, 톱밥이라는 게 돈이 되는 사업인지, 외딴 시골에서 뜬금 없이 소량의 톱밥을 만들면 도시에 사는 사람들이, 톱밥이 필요한 사람들이 사려고 하는지... 나는 그런 것까진 알지 못했지만 아빠의 트럭 뒤에 실린 톱밥이 좀처럼 줄어들지 않았던 걸로 보아 찾는 사람이 없다는 건 쉽게 짐작할 수 있었다.

그 많은 어린 배나무와 땅에 파묻기 위한 도구들, 톱밥을 만들기 위해 나무를 자르는 도구나 장비, 커다란 트럭 같은 건 모두 할머니의 돈이었다. 담보로 잡히는 땅들이 늘어갔고 매달 갚아야 하는 돈도 점차 많아졌지만 아빠를 따라 들어온 아줌마가 어느 정도 책임감 있게 돈을 갚아 나가는 것 같다고 했다. 아빠가 할머니를 향해 폭언을 일삼을 때도 아줌마가 중간에서 중재를 해 같이 지내는 것이 나쁘지 않다고 했다. 그냥, 그렇게 들었다. 고모들은 이번엔 제대로 된 여자를 만난 거 아니냐며 기대를 하기도 했지만 나는 시간 차이만 있을 뿐 결론은 갔을 거란 생각에 변함이 없었다.

나는 두 사람이 할머니 집에 얹혀살면서 할머니의 논을 담보로 잡아 은행에서 돈을 빌린 것에 대한 대가를 치러야 한다고 생각했다. 은행에 돈을 갚는 것은 당연히 두 사람이 해야 할 일이었고 그 이상의 대가 말이다. 2학년 때 보육원 실습 후 도둑질도 일절 하지 않았고 복지 장학금도 더 이상 받지 못했을 뿐만 아니라 2학년 2학기부터 시작된 학교 급식으로 급식비도 필요했다.

나는 시도 때도 없이 아빠와 아줌마에게 전화를 해 돈을 달라고 했다. 할머니가 전화를 받으면 두 사람 중 아무나 바꾸라고 해서 급식비와 버스비, 책값 따위를 달라고 했다. 소리를 지르고 싸우는 것보다 더 고상한 방법으로 두 사람을 괴롭히고 싶었다. 돈을 보낼 때까지 매일, 어쩔 데는 하루에 두 번이고 세 번이고 전화를 해서 돈을 보내라고 재촉했다. 아빠는 그냥 전화를 끊어버리기 일쑤였고 아줌마는 늘 돈이 없다고 했다. 그럴 때면 주말에 시골집에 내려가서 집요하게 두 사람을 들들 볶아 댔다. 내가 유일하게 아빠에게 배운 것이었다. 아빠가 할머니를 괴롭히는 것과 똑같은 방법으로 나는 아빠를 괴롭혀야 했다.

2학년 겨울방학을 할머니와 함께 단칸방에서 보내고 어느덧 새 학기가 되었다. 할머니는 농사 때문에 시골로 돌아가고 나는 3학년 7반으로 배정받았다.

고등학교 3학년.

2년이란 시간을 허송세월로 보내고 난 뒤에야 내가 이곳까지 와서 고등학교를 다닌 이유를 상기시켰다. 대학에 가야 했다. 문예 창작과를 가고 싶었고 작가가 되고 싶었다.

3학년이 되자마자 담임선생님은 입학 전형 표를 나누어 주며 자신이 가고 싶어 하는 학교와 학과의 작년 수능 점수를 확인하고 그곳에 가기 위해 얼마만큼 점수를 올려야 하는지, 어떤 과목을 집중해서 공부해야 하는지 1년 계획을 세우라고 했다.

진주에 있는 경상대학교부터 살폈다. 국립이라 등록금도 비싸지 않았고 자취를 하더라도 할머니와 거리가 멀지 않으니 나에겐 최선의 선택이었다. 문예 창작과는 없었지만 국어 국문과가 있었다. 작년 입학을 한 사람들의 수능 점수가 320점에서 340점 정도라고 적혀 있었다.

'340점...'

2학년 말에 친 모의고사에서 내 성적은 400점 만점에 240점이었다. 반에서 50명 중에 40등 정도였고 2학년 전체 850여 명 중에서 600등 정도. 그 점수로는 전문대도 못 들어갈 성적이었다.

대학을 못 갈 수도 있다는 불안감에 그때부터 마음을 다잡고 공부를 시작했다. 웬만하면 시골집에 내려가지 않았고 주말에도 학교에 가서 공부를 했다. 학원을 다닐 돈도 없었고 문제집을 살 돈도 없어서 교과서만 파고들었다. 다행히 짝지가 된 아영이가 제법 공부를 잘하는 아이였고 성격도 좋아 가끔 모르는 것이 있으면 그녀에게 물어보기도 했다. 요령이 없어 중요하지 않은 부분을 공부하고 있으면 아영이는 그 부분은 중요하지 않으니 어느 어느 챕터를 공부하라며 알려주기도 했다.

1학기 마지막 모의고사에서 280점을 맞았다. 여전히 점수는 형편없었지만 점수가 올랐다는 것에 만족하기로 했다.

여름방학은 시골집과 마산을 왔다 갔다 하며 보냈다. 시간이 빠르게 흘러 2학기가 되었다. 반 전체에 긴장감이 돌고 체육이나 음악, 미술 같은 과목들은 국영수로 바뀌거나 자율학습으로 대체되었다.

그날도 음악 수업이 자율학습으로 대체되었다. 그날따라 집중이 안 돼 창문을 내다보며 한숨을 내쉬는데 아영이가 소곤거리며 물었다.

"소희야, 공부가 안 되나?"

"아, 미안. 너무 시끄럽제?"

"아이다. 내도 오늘따라 공부가 안된다."

공부를 하는 줄 알았던 아영이의 노트가 잡다한 그림과 낙서들로 엉망이었다. 내가 슬며시 웃자 아영이가 내 팔을 잡았다.

"우리 나가서 학교 한 바퀴하고 올래?"

"그럴까?"

아영이와 나는 교실을 지키고 있던 선생님에게 허락을 받은 뒤 운동장으로 내려갔다. 여름방학이 지났는데도 아직 공기 중엔 여름의 열기가 남아있었다. 작은 폭포와 징검다리 아래를 흐르는 개울, 벚꽃나무가 즐비한 운동장을 지나 매점으로 향하는 비탈길로 접어들었다. 아영이가 기지개를 켜며 말했다.

"니 수학 공부하는 거 같던데, 잘 안되나?"

"응. 나 아무래도 수학은 포기해야 될 것 같다. 뭔 말인지 진짜 하나도 모르겠다."

"수학 뭐 하고 있는데?"

"적분. 진짜 너무 어렵다. 이런 게 나중에 대학을 가고, 어른이 되면 필요하기는 한 건가? 적분이?"

"... 필요 없겠지. 근데 수능에 나오니까 해야지..."

절로 한숨이 나왔다.

"니는 왜 집중이 안 되는데?"

"몰라... 그냥, 공부하기가 싫네, 오늘."

"그래도 니는 공부 잘하니까. 니 의대 가고 싶다고 그랬제?"

"나? 그냥 엄마가 가라고 하니까..."

"니는 의대 가기 싫나?"

".... 잘 모르겠다.... 뭐가 되고 싶다, 어느 학과를 가고 싶다, 그런 생각을 안 해봐서. 수능 치고 성적에 맞춰서 가야지. 솔직히 내 성적으로 의대는 못 갈 것 같다."

"니 성적이면 의대 갈 수 있을 것 같은데... 내는 그래도 니가 부럽다. 내도 2학년 때 공부 좀 할 걸."

아영이가 내 어깨를 토닥이며 말했다.

"교실 가서 내가 적분 가르쳐 줄게."

"아이다! 니도 공부할 시간 모자란데."

"안 모자란다. 내도 어차피 공부 안돼서 시간 죽이고 있었는데 뭘. 니 덕에 한 번 더 복습하면 좋지 뭐."

"진짜? 아영아, 고맙다."

싱긋 웃은 그녀가 나를 마주 보았다.

"우리 다 같이 좋은 대학 가면 좋잖아."

아영이는 독실한 기독교 신자였던 걸로 기억한다. 하얀 피부에 도수가 높은 안경을 끼고 있던 그녀는 너와 나, 우리 둘 다 좋은 결과가 있으면 좋지 않겠냐고 말하며 늘 나를 다독여주고 용기를 주었다. 진솔하고 속이 깊었으며 착한 친구였다.

2학기 동안 내 나름 최선을 다해서 공부했다. D-100일 달력이 칠판에 붙은 게 엊그제 같은데 어느새 11월이 되었다. 수능을 치기 일주일 전부터 할머니는 내 자취방에 와 있었고 수능 전날은 삼촌과 숙모가 사촌 동생 둘과 함께 자취방에 들렀다. 숙모는 배냇저고리를 품고 수능을 치러 가면 운이 좋다는 미신을 듣고 내 교복 재킷 안쪽에 사촌 동생의 배냇저고리를 달아주었다. 엄마가 없었으니 내 배냇저고리가 아직 보관되어 있을 리 만무했기 때문이었다.

수능 당일, 최선을 다해 시험을 치렀다. 얼마간의 시간이 지나고 수능 성적이 발표되었다.

342점. 꼬박 1년 동안 100점이라는 점수를 올렸다.

340점이면 경상대 국어 국문과를 갈 수 있다는 들뜬 기대도 잠시, 그 해 수능이 쉽게 나와 평균 점수가 20점 정도 올랐다고 했다. 내가 가고 싶었던 문예 창작과나 국어 국문과는 어느 학교를 찾아봐도 대부분 360점 안팎이었다. 그래도 포기하기 싫었다.

경상대학교에서 내 점수에 갈 수 있는 학과를 찾았다. 생전 듣도 보도 못한 학과에 지원이 가능했다.

담임선생님은 이 학과에 가면 나중에 취업이 힘들 것이며 비전도 없다고 했다. 나는 우선 이 학과에 들어가서 전 과목 만점을 받아 대학교 2학년 때 국어 국문과로 전과를 할 것이라고 했다. 그것이 나의 계획이었다. 정말 절실하게 국어 국문과나 문예 창작과를 가고 싶었다. 그곳에 가기만 하면 작가가 될 수 있을 것만 같았다. 담임 선생님은 나의 계획이 마음에 든다며 지원서 작성을 도와주었다.

얼마 뒤 합격 통보를 받았다. 기쁜 마음으로 할머니에게 합격 소식을 전하고 대학교에 입학한 뒤 전과를 할 것이라는 계획까지 모두 말했다.

할머니가 내 손을 꼭 쥐어 잡으며 말했다.

"소희야, 니가 그 국어 국문과를 가서 졸업을 하모 취직은 잘할 수 있나?"

"취직? 작가가 돼서 책을 만들면 취직을 안 해도 돈을 벌 수 있으니까 취직은 꼭 안 해도 될 거야."

"책을 만들면 돈을 얼마나 버는데?"

"어? 그거는 나도 잘 모르겠는데... 베스트셀러 작가가 되면 돈 엄청 많이 벌걸?"

할머니는 조곤조곤 말을 이었다.

"지금 합격한 과는 고마 취소하고 전문대 간호과로 가라. 간호사가 되면 일자리도 많고 대학병원 같은데 취직을 하모 돈도 많이 버는 갑드라."

"... 내는 피 보는 직업 같은 건... 안 하고 싶은데..."

"간호사가 다 피 보고 사람 죽는 거 보고 그러는 기 아닌 갑드라. 니 경상대병원 갔을 때 신경과 외래에서 일하는 간호사도 봤다 아이가. 고마 거기서 접수하고 의사들 처방하는 거 환자들한테 주고... 그라모 되는 긴데 뭐."

"그래도... 내는 간호사 되기 싫은데..."

"연서도 진주 보건대 간호과로 썼단다. 니도 간호과로 가라. 3년제라서 졸업도 빨리할 수 있다아이가. 그래가 나중에 할매가 많이 아프모 니가 간호도 해주고 주사고 주고... 그라모 좋지."

"내는 주사라고 하면 진짜 꼴도 보기 싫다."

"니는 심성이 고와서 간호사 하모 잘 할 끼다. 응? 그리해라, 응?"

진주보건대 간호과 접수일까지 일주일 정도의 시간이 남아있었다. 그 일주일 간 나는 할머니와 많은 대화를 나누었고 정말 많이 고민 했다. 내 미래를 상상하며 단 한 번도 간호사가 된 모습을 그려 본 적도 없었고 간호사가 되고 싶다고 생각한 적도 없었다. 병원을 워낙 싫어하는 데다 주사라면 온몸을 벌벌 떨 정도로 무서워했으니...

정말 싫었지만 할머니 말이 맞았다. 간호사가 되면 취업이 잘 된다는 건 나도 익히 들어 알고 있었다. 빨리 어른이 돼서 돈을 벌고 싶었기에 불확실한 작가라는 꿈에 의지하는 것보다는 확실하게 간호사라는 결론이 정해진 간호과에 가는 것이 이득이었다.

결국 진주보건대 간호과에 지원을 했고 얼마 뒤 합격 통보를 받았다. 솔직히 그다지 기쁘지는 않았다.

마산의 자취방에서 나와 다시 시골집으로 돌아왔다. 학교 가까운 데서 자취를 하고 싶었지만 등록금 마련하는 것도 빠듯해 어쩔 수가 없었다. 아빠와 아줌마, 할머니와 나의 불편한 동거가 시작되었다.

시골집에 돌아와 제일 먼저 마주한 것은 동네의 흉물이 되어버린 아빠의 배나무 밭이었다. 심고 난 뒤 그대로 방치되었던 나무들은 앙상하게 말라 제멋대로 자라 있었다. 작년 여름, 주먹보다 작은 크기의 배들이 간간이 열리기는 했지만 관리하는 사람이 없어 그냥 바닥에 떨어져 썩어버리거나 동네 사람들이 너도나도 몰래 따 가버렸다고 했다. 할머니의 돈이 또 그렇게 쓸데없이 버려졌다.

그리고 그맘때쯤 아줌마는 임신을 했다.

3부

나는 비겁한
어른 아이였다.

끈질긴 가난 속에서 보낸 3년의 대학 생활
1. 나의 대학시절. 나는 비겁한 어른 아이였다.

3월, 간호과 입학식 겸 오리엔테이션에 참석했다.

진주 보건대. 언덕 위에 있는 학교는 생각보다 무척 작았다. 간호과 주간반은 A, B, C, D 총 4개의 반으로 200여 명이었고 야간반은 E 반으로 약 50여 명 된다고 했다. 나는 C 반이 되었고 연서는 A 반이 되었다.

학교에 적응하지 못했다. 또다시 괜찮은 척 떠들고 웃어 댔지만 간호사가 되고 싶은 마음이 없었기 때문에 전공과목이 재미있지도 않았고 학교에 가는 것도 크게 즐겁지 않았다. 봉사 동아리에 들어 2주에 한 번씩 고아원에 봉사활동을 가는 것 말고는 흥미를 끄는 일도 재미있는 일도 없었다.

임신을 한 아줌마의 배는 점점 불러갔고 아빠는 여전히 톱밥을 팔겠다고 여기저기 쏘다녔다.

학교 가까운 곳에서 자취를 하고 싶었지만 월세를 감당할 자신이 없었다. 아르바이트를 해서 벌면 되지 않을까 싶어 커피숍 같은데 면접도 봤지만 아직 19살, 미성년자라 일자리를 구하는 것도 쉽지 않았고 시급이 1100원에서 1200원 수준이었기에 한 달 내내 일을 한다고 해도 월세를 마련하는 것 또한 불가능해 보였다.

어쩔 수 없이 할머니와 나, 아빠와 아줌마는 살얼음판을 걷듯 아슬아슬한 관계를 유지한 채 한 집에서 같이 살 수밖에 없었다.

새벽 5시 반 버스를 타고 학교로 갔다가 거의 매일 밤 9시 막차를 타고 집으로 돌아왔다. 매일 3시간이 넘는 통학에 지쳐가는 사이 아줌마가 아이를 낳았다. 여자아이였다. 흔히들 말하는 배다른 동생이었지만 단 한 번도 아줌마와 그 아이를 나의 가족이라고 생각한 적은 없었다. 아빠를 나의 가족이라고 생각한 적이 없었기 때문에 두 사람도 나에겐 가족이 아니었던 것이다.

대학교 2학년, 길어진 학과 수업에다 병원 실습까지 시작할 예정이라 자취를 할 수밖에 없었다. 대구 고모가 전세 자금을 빌려줘서 겨우 구한 자취방은 학교에서 멀지 않은 주택가에 있었다.

싱글 침대와 책상 하나가 겨우 들어갈 정도로 작은방엔 신발을 신고 나가야 하는 지저분한 시멘트 바닥의 부엌이 딸려 있었다. 곰팡이 냄새가 가득한 부엌엔 작은 싱크대와 가스레인지, 내 허리만큼 오는 낡은 냉장고가 전부였다. 고등학교 때 자취를 했던 큰 고모 집의 단칸방 같다는 생각이 드는 것도 잠시, 주인아주머니는 화장실과 샤워실은 밖으로 나가야 한다며 나를 이끌었다. 마당을 가로질러가자 한 사람이 들어가기에도 힘든 좁아터진 샤워실과 쪼그리고 앉아야 하는 화장실이 나타났다.

대구 고모가 빌려준 전세금에 맞춰서 찾아주겠다며 아줌마와 아빠가 발 벗고 나서서 찾은 것이었다. 그런 집을 전세를 주고 구했다는 것이 도저히 이해가 되지 않았지만 당시에 나는 자취방을 구하는 방법이라든지, 방을 계약하는 방법 같은 걸 알지 못했고 대구 고모가 보내 준 돈도 아빠와 아줌마가 가지고 있었기에 다른 방도가 없었다.

아빠는 톱밥이 돈벌이가 되지 않는다며 이번에는 수산물을 운반하는 일을 하겠다고 했다. 자신의 인맥이 상상을 초월할 정도로 넓어 마산의 횟집 사장들을 거의 다 알고 있다며 일을 시작하기만 하면 금방 떼돈을 벌 것이라고 떠들어댔다. 톱밥 사업을 한다고 사들인 기계나 기구들은 자연스레 무용지물이 되었고 수산물을 운반하기 위해 트럭 뒤에 실어야 하는 비싼 수조를 새로 사고 필요한 최신 장비들을 사들였다.

어디서 돈이 났을까... 또 할머니의 논을 담보로 잡았을까...

왜 진주의 시골 촌구석에 살면서 마산까지 가서 그런 일을 하는지 이해가 되지 않았다. 그럴 거면 아예 마산에 나가서 살던지...

아빠와 아줌마는 새로 산 수조 옆에 '승지수산'이라는 스티커를 붙였다. 아줌마가 낳은 여자아이 이름이었다.

자취를 시작하면서 학교를 마치고 할 수 있는 아르바이트 자리를 알아보았지만 학과 수업과 실습 등으로 시간 맞추는 것이 쉽지 않아 주말 아르바이트를 시작했다.

어느덧 2학년 겨울방학이 되고 방학 동안은 대구 고모 집에 가서 꼬박 두 달을 홈플러스에서 아르바이트를 했다. 그맘때쯤 아빠와 아줌마가 대구로 이사를 했다. 대구에서 건어물 가게를 하겠다며 작은 가게를 얻고 집까지 구했다고 했다.

드디어 나갔구나, 드디어 해방이구나 하는 생각이 들기도 잠시, 채 한 달도 지나지 않아 할머니의 시골집으로 독촉장이 날아들었다. 아빠가 그동안 벌린 사업 때문에 거의 모든 논을 담보로 잡아 이미 최대치의 돈을 빌렸기 때문에 더 이상 농협에서 돈을 빌리지 못했던 할머니는 내 학자금을 삼성 캐피털이라는 곳에서 빌렸었다. 그 돈을 아줌마가 갚아 나가는 듯했지만 알고 보니 카드로 돌려 막기를 하고 있었고 대구 고모가 내 자취방을 구하라며 준 돈도 주인집 아주머니의 말로는 몇 달 전에 아빠와 아줌마가 와서 전부 빼 갔다고 했다.

그제야 대구 고모가 애초에 아빠에게 보내준 돈보다 자취방에 맡긴 전세금이 현저히 적다는 사실을 알게 되었다. 정확히 얼마인지 기억나지는 않지만 대구 고모가 내 자취방을 구하라고 빌려준 돈으로 트럭 뒤에 싣는 비싼 수조를 사고 자신들이 또 얼마를 챙긴 뒤, 쥐꼬리만큼 남은 돈으로 그렇게 허름한 자취방을 구해준 것이었다. 그마저도 얼마 전에 다 빼 가버려 월세가 3개월이 밀렸다고 했다.

주인아주머니는 아빠와 아줌마의 부탁으로 그동안 나에게 말하지 않았다고 했다. 두 사람이 내가 걱정할지도 모르니 월세가 밀려도 말하지 말라고 했다면서.

아빠와 아줌마는 연락이 되지 않았다. 대구에 구한 집과 가게에서도 이미 이사를 나가고 난 뒤였다.

온 집이 발칵 뒤집어졌다. 어떤 과정을 거쳐 일이 해결이 되었는지 자세히 알지는 못한다. 할머니의 외사촌의 딸이 천만 원을 빌려줘서 삼성 캐피털 일을 해결할 수 있었다는 것만 알고 있다. 대구 고모부가 진주에 내려와 밀렸던 월세를 내주었고 3학년 등록금과 1년간의 월세도 내주겠다고 했다.

그때부터 나는 미친 듯이 아르바이트를 하기 시작했다. 가게가 문을 닫거나 평일과 주말의 시간이 맞지 않아 몇 군데를 옮겨 다니다 최종적으로는 당시 진주 시내에서 꽤나 유명했던 토모 로바다야키라는 곳에서 일을 하게 되었다.

오후 6시부터 새벽 2시, 너무 바쁜 날이나 주말에는 새벽 4시까지 일을 했다. 그렇게 일을 하고 집에서 한두 시간 겨우 눈을 붙이거나 가끔은 한숨도 못 자고 학교를 갔으며 병원 실습을 했다. 늘 잠이 모자랐고 피곤했다.

어느 날, 병원 실습을 가서 아침 인계를 듣는데 나도 모르게 잠이 들어 버렸다. 함께 실습을 나온 친구가 내 팔을 꼬집어 눈을 뜨니 병동의 수간호사가 내 앞에 커피잔을 내려놓고 있었다. 얼굴이 벌겋게 달아올랐다. 인계가 끝나고 수간호사가 나를 불렀다.

"학생아. 니는 병원 실습이 우습나? 인계 시간에 조는 게 말이나 되나?"

"죄송합니다."

"밤늦게까지 술 마시고 놀면서 간호과 학생이라고 말할 수 있나? 실습을 나와서 간호사 선생님들한테 뭘 배울 수 있을까 눈이 초롱초롱하지는 못할망정 졸고 있다는 게 말이 된다고 생각하나?"

목소리의 날을 세우지 않고 조곤조곤 채근하듯 혼을 내는 수간호사가 무서웠다.

"... 죄송합니다. 늦게까지 아르바이트를 하느라고..."

"아르바이트? 간호과 학생이 공부는 안 하고 아르바이트를 한다고? 그것도 실습에 지장을 주면서까지?! 니가 지금 제일 중요한 게 뭔데? 학과 공부랑 실습이지! 아르바이트에 그렇게 시간을 허비할 거면 간호과를 다니면 안 되지!"

학과 공부도 실습도 돈이 있어야 하지... 내 용돈은 내가 벌어야 하는데...

신파극의 주인공처럼 구구절절 내 개인 사정을 설명할 필요도 없었고 그러고 싶지도 않았다.

"죄송합니다. 앞으로 주의하겠습니다."

실습을 마치고 집에 오니 벌써 오후 4시가 넘은 시각이었다. 조금이라도 자고 싶었지만 오후 6시에 아르바이트가 시작이었고 차비를 아끼느라 자취방에서 진주 시내까지 걸어갔기 때문에 적어도 5시 20분에는 집에서 나가야 했다. 샤워를 하고 나오니 이미 5시. 잠잘 시간은 없었다. 이틀 내내 겨우 2시간 정도를 잔 것 같다.

로바다야키에 도착해 500 cc 맥주잔에 커피믹스 10개를 들이 붓고 아이스커피를 만들어 마셨다. 시끄러운 음악 소리와 시원한 커피에 잠이 조금은 깨는 것도 같았다. 그날도 시간이 날 때마다 구석에서서 실습과제를 하는데 주방의 실장님이 고생한다며 스끼다시로 나가는 돼지머리 눌린 것을 예쁘게 잘라 접시에 담아주었다. 꼬들거리는 식감 때문에 내가 유난히도 좋아하는 것이었다. 같이 아르바이트를 하는 아이들과 머리를 맞대고 서서 나누어 먹었다.

새벽 1시쯤 주방 오빠가 아르바이트생들을 불렀다.

"오늘은 소희를 위해서 동태 눈깔 볶음으로 저녁 묵는다이~!"

내가 생선을 먹지 못한다는 것을 잘 아는 오빠는 매일 야식 시간이 되면 일부러 내가 들으라는 듯 장난스레 말하곤 했다. 같이 일하는 아르바이트생들은 매일 있는 일이다 보니 그저 웃어넘겼다.

"소희 말고 생선 못 묵는 애들 있나?"

"아니요! 저 생선 좋아해요~"

"저도요~ 저도 생선 잘 먹어요."

그날 야식은 동태탕이었다. 오빠는 나를 위해 따로 제육볶음을 만들어주었다.

"오빠! 저 때문에 따로 만드신 거예요? 감사합니다!"

"그래, 마이 무라!"

저녁도 거르고 알바를 온 상태라 몹시도 배가 고팠다. 그때 그 제육볶음 맛을 말로 설명하기 힘들다. 너무 맛있었다.

그날은 홀 실장 오빠에게 말해 새벽 2시에 집에 가겠다고 했다. 너무 피곤한 데다 인계 시간에 또 졸지 않으려면 최소한 3시간은 자야 했다. 오빠는 한 달 동안 일한 월급을 정산해 주겠다며 잠시 기다리라고 했다.

시급 1800원, 매일 8시간에서 10시간 일을 하고 정산된 월급은 52만 원이었다. 마침 가게에 와 있던 작은 사장님이 실장 오빠에게 말했다.

"3만 원 더 넣어서 55만 원 만들어 주라!"

"꺄! 사장님, 감사합니다!!"

"내가 고맙지! 딱 내 며느리 삼았으모 좋겠구만 내가 아직 자식이 없네~"

3학년 내내 나는 이렇게 일을 하며 학교를 다니고 실습을 했다. 국가고시를 두 달 앞두고부터는 학교에서 야간 자율학습을 했기에 주말에만 일을 했다.

돈을 아끼려고 한 겨울에도 보일러에 기름을 넣지 않았다. 전기장판도 고장이 나서 새하얀 입김이 나는 방에서 겨울 점퍼를 입고 이불서너 개를 덮고 잠을 잤다. 너무 추울 때는 헤어 드라이기로 꽁꽁 얼어붙은 손과 발을 녹였고 가끔은 돈이 없어 가스레인지용 가스통을 바꾸지도 못해 생라면을 씹어 먹기도 했다.

정말 열심히 공부했다. 아르바이트 때문에 공부할 시간이 부족했지만 내가 할 수 있는 한도 내에서 최선을 다했다. 그때 내게 남아 있는 유일한 희망은 국가고시에 합격해 최대한 빨리 직장을 구하는 것이었다. 간호사가 되고 싶다 아니다는 더 이상 문제 사항이 아니었다. 나는 돈이 필요했고 돈을 벌어야만 했다.

끈질긴 가난 속에서 보낸 3년의 대학 생활이 마무리되고 2004년 2월, 간호사 국가고시에 합격했다.

대구 고모와 대구 고모부가 도와주지 않았다면 나는 고등학교를 졸업하지도 대학을 다니지도 못했을 것이다. 그리고 토모 로바다야키의 큰 사장님과 작은 사장님(두 분이 형제였다), 주방의 실장님과 실장님과 함께 들어왔던 주방의 오빠, 그분들의 따뜻한 마음 씀과 격

려가 얼마나 큰 힘이 되었는지 모른다. 덕분에 내가 그 힘든 시간을
버텨낼 수 있었다고 그때 정말 감사했다고 말하고 싶다.

아무도 할머니를 모시려 하지 않았다
2. 나의 20대(_1). 나는 비겁한 어른 아이였다.

간호사 국가고시 합격 발표가 나는 날. 그날도 토모 로바다야키에서 아르바이트를 하고 있었다. 밤 12시부터 문자로 합격 여부를 통보한다는데 혹시나 문자가 빨리 올지도 모른다는 생각에 일하는 내내 휴대폰만 붙잡고 있었다.

밤 12시 20분경, 합격했다는 문자를 받았다. 흥분한 나머지 손님들이 있는 홀에서 "꺄!" 소리를 내질렀다. 같이 일하던 아르바이트생들과 주방 식구들, 작은 사장님까지 모두 진심으로 기뻐했다.

그날 밤 작은 사장님은 합격을 축하한다며 홀과 주방 식구들과 함께 전체 회식을 시켜주었다. 다음날 동이 트자마자 할머니에게도 소식을 전했다. 할머니도 무척이나 기뻐했다.

이제 나도 돈을 벌 수 있구나. 이제 나도 어른이구나.

얼른 돈을 벌어야 했다. 아르바이트가 아닌 진짜 직장인이 되어 매달 꼬박꼬박 월급을 받아야 했다. 서울이나 부산의 대학병원까지는 바라지 않았지만 경상대병원이나 마산 삼성병원에 지원을 하고 싶었다. 하지만 간호과에 적응하지 못해 엉망이었던 1학년 때 성적과 아르바이트 때문에 인계 시간에 졸고 제대로 과제를 해가지 못해 학점이 7점이나 되었던 실습 점수가 좋지 않은 것이 내 발목을 잡았다. 나름 2, 3학년 때 학점을 올린다고 올렸지만 앞의 두 가지 때문에 전체 평점은 겨우 중간 정도밖에 되지 못해서 대학병원에 지원할 조건 자체가 되지 않았다. 지금 상황에서 어딘가로 이사를 하는 것도 돈이 들 것이고 할머니와 가까이 있는 것이 좋겠다는 생각에 진주 시내에서 멀지 않은 200병상 규모의 작은 종합병원에 입사했다.

처음으로 일하게 된 곳은 신경외과와 내과 병동으로 경미한 교통사고나 간단한 허리 수술, 경한 내과적 질환으로 입원하는 사람들이 대부분이었다. 한 달에 총 4일을 쉬었는데 그중에 절반은 나이트 오프였다. 그러니까 밤새 일을 하고 아침 9시에 퇴근해서 하루 종일 자고 나면 오프가 끝나버리는 거짓 오프가 2-3개는 되었기에 쉬는 날이 없다고 해도 과언이 아니었다.

그렇게 3교대로 일을 하고 받은 첫 월급은 120만 원. 태어나 벌어본 돈 중 가장 큰돈이었다. 자취방 월세와 가스비, 전기세와 휴대폰 요금을 내고 다음 월급날까지 사용할 용돈을 제외하고 나니 약 30만 원 정도가 남았다. 그 30만 원을 할머니에게 주었다. 빨간 내복과 함께 말이다. 첫 월급으로 내가 할 수 있는 최선이었다.

병원 생활은 고만고만했다. 간호사라는 직업이 싫었지만 돈이 필요했기에 일을 할 수밖에 없었다. 할머니에게 용돈도 보내고 나름 저축도 했으며 함께 일하는 동료들과 술도 마시러 다니고 남자도 만났다. 데이를 마치고 다음날이 쉬는 날이거나 이브닝, 나이트 일 때는 토모 로바다야키에 가서 아르바이트도 했다.

어떻게든 돈을 많이 벌고 싶었다. 이제 이렇게 살면 되겠구나, 일의 좋고 싫음을 떠나, 간호사라는 직업이 나에게 맞고 안 맞고를 떠나 그냥 이렇게 살면 되겠구나 했다. 지금의 나이로 고작 20살, 21살이었던 나는 첫 직장에서 현실과 타협하는 방법을 배우는 듯했다.

하지만 병원에서 일한 지 1년이 넘어갈 즘부터 점점 현실이 지옥보다 못한 곳으로 변해갔다. 더 이상은 못하겠다는 생각이 들었다. 환자의 죽음을 지켜봐야 하는 간호사라는 직업이 감당하기 힘들 정도로 버거웠다.

여전히 작가의 꿈을 버리지 못했다. 꽉 막힌 시야로 문예 창작과나 국어 국문과를 들어가야만 작가가 될 수 있다고 생각했다. 작가가 되기 위한 다른 방법을 찾을 시도도 하지 않고 무조건 대학을 가야만 한다고 생각했다. 너무 어렸고 철이 없었으며 그래서 더 무모했다.

간호사로 일한 지 2년, 나는 병원을 그만두고 재수학원에 들어갔다. 그동안 모아놓은 돈 400만 원으로 6개월간 공부를 하고 대학에 들어가려 했다. 병원에서 도망쳐 나와 변명처럼 재수학원에 들어가면서 생각했다. 나는 현실에 안주하지 말아야지, 나는 내가 원하는 꿈을 좇아야지, 머저리처럼 돈에 얽매여서 내 꿈을 포기하지 말아야지.

그렇게 병원까지 그만두고 들어간 재수학원에서 제대로 공부도 하지 않고 어영부영 시간을 보냈다.

학원에 들어간 지 4개월쯤 되었을까, 할머니의 시골집에 빨간 딱

지가 붙었다. 아빠와 아줌마가 돈을 갚지 않으면서 담보로 잡힌 할머니의 논과 밭이 은행에 넘어갔고 손쓸 틈도 없이 시골집도 경매에 붙었다.

"소희야, 내가 갈 데가 없다. 니하고 같이 살모 안 되긋나?"

할머니가 그렇게 물었다.

여전히 대학 때 살던 손바닥만 한 자취방에 살면서 재수학원을 다니고 있던 나는 할머니와 함께 살 수가 없었다. 모아놓은 돈도 거의 바닥을 친 상태라 할머니를 부양할 수가 없었다. 함께 살지 못한다고 말하던 내가 괘씸했지만 당장 어떻게 할 방법이 없었다.

어른들이 어떤 의논을 했는지 나는 모른다. 어떤 의논을 했든, 어떤 선택을 했든 할머니는 시골집에서 나와야 했다.

할아버지와 결혼을 한 뒤 평생을 살아온 그 집에서, 자식 여섯을 낳은 그 집에서, 할아버지가 돌아가시고 새로 지은 빨간 벽돌집에서 할머니는 쫓겨났다. 그리고 큰 고모의 1층에 있던 단칸방으로 세를 들어갔다. 내가 지내던 2층의 단칸방보다 더 작은 셋방으로 말이다.

자식 여섯에 장성한 손녀딸까지 있었지만 할머니는 큰딸의 셋방으로 들어갔다.

아무도 할머니를 모시려 하지 않았다.

아무도.

역겨울 정도로 나는 멍청했다
3. 나의 20대(_2). 나는 비겁한 어른 아이였다.

그해, 나는 수능에 실패했다. 당연한 결과였다. 내 꿈을 위해 재수 학원에 들어간다는 그럴싸한 이유로 병원을 도망쳐 나왔던 것이지 정말로 공부를 하겠다는 마음 따윈 애초에 없었으니 어쩌면 당연한 결과였다.

공부를 한답시고 병원을 그만둔 나를, 그래서 할머니를 부양할 수 없었던 나를 저주했다.

작가 따위 다시는 꿈꾸지 말아야지. 내 꿈? 그까짓 게 뭐 그렇게 대수라고.

돈이 한 푼도 없었다. 당장 돈을 벌어야 해서 급하게 작은 개인병 원에 들어갔다. 한 달 내내 일을 해도 100만 원이 조금 넘었던 개인병 원의 월급과 주말에 가끔 토모에서 아르바이트를 해도 고작 몇만 원 정도밖에 벌지 못했다. 버스비를 아끼기 위해 새벽부터 걸어서 개인 병원으로 향했다.

횡단보도 앞에서 초록불을 기다리고 있던 그때, 어딘가 낯익은 얼굴이 스쳐 지나갔다.

'... 아줌마?!'

운전석에서 운전을 하는 아줌마와 뒷좌석에 앉은 어린 여자아이.

정신이 번쩍 들면서 저 차를 따라가야 한다고, 저 아줌마를 당장에 잡아야 한다는 생각이 들었지만 이미 차는 멀어지고 난 뒤였다.

무슨 돈으로 저 차를 샀을까. 고모들 말로는 아빠와 갈라섰다고 하던데... 그동안 어떤 방법으로 할머니의 통장에서 돈을 빼 간 걸까... 대구에서 자리를 잡고 산다고 들었는데... 진주에는 무슨 일로 온 걸까...

일하는 내내 내 앞을 스쳐 지나가던 아줌마의 모습이 머릿속에서 떠나질 않았다.

할머니를 저렇게 만든 장본인이 버젓이 차를 끌고 돌아다니고 있다니... 나는 버스비를 아끼려고 하루 2시간을 걸어서 출퇴근을 하는데... 아줌마는 어디서 돈이 나서 차까지 샀을까...

그날 밤 일을 마치고 집에 돌아오니 우편 하나가 도착해 있었다. 최종 통보라고 적힌 독촉장이었다.

대학교 1학년 때 친하게 지내던 친구가 아르바이트로 신용카드 신규 등록자를 모집했었는데 신규 등록자 1명 당 아르바이트비 만 원을 받는다고 했다. 연회비가 없으니 만들고 난 뒤 사용하지 않으면 된다는 말에 친구 알바를 도와준다는 마음으로 신용카드를 하나 발급받았었다.

시골집에 처박아두고 단 한 번도 사용하지 않았던 그 신용카드는 지난 4년간 누군가에 의해 꾸준히 사용되고 있었다. 아줌마였다. 가구를 샀고 침대를 샀다. 슈퍼마켓에서 식료품을 샀고 레스토랑에서 외식도 했다. 그리고 어느 순간 카드 값을 갚지 않았고 연체가 거듭되어 독촉장이 내 자취방으로 날아든 것이다. 이미 경매에 넘어간 시골집으로 여러 번 경고장을 보냈지만 연락이 되지 않아 내 자취방으로 최종 통보를 보낸다고 적혀 있었다.

곧장 카드사에 전화를 했다. 이자가 쌓여 300만 원이 연체가 되었다고 했다. 당시 100만 원가량의 월급으로 겨우겨우 생계를 유지하고 있던 나에겐 너무도 큰돈이었다. 내가 쓴 게 아니라고 해도 내 명의의 카드이기 때문에 내가 갚아야 한다고 했다. 억울하다고 하소연을 해도 소용이 없었다.

며칠 간의 실랑이 끝에 카드사는 이자를 제외한 원금이라도 갚으라고 했다. 100만 원 정도였다. 수중에 겨우겨우 모아둔 150만 원 중 100만 원을 내놓아야 했다. 그리고 나는 신용불량자가 되었다.

더 이상 그렇게 살 수가 없었다. 큰 병원으로 옮겨 돈을 더 벌어야 했다. 첫 병원에서 같이 일했던 친구와 함께 부산으로 이사를 가기로 했다. 진주보다 부산이 그나마 월급을 조금 더 주었다. 그리고 친구와 함께 자취를 하면 지금 내는 월세 비용과 크게 차이가 나지 않을 것이기에 여러모로 이득이었다.

광안리에 있는 병원에 면접을 보았다. 면접과 동시에 바로 합격했고 친구와 나는 병원에서 멀지 않은 곳에 원룸을 구했다.

계약금 500만 원에 월세 38만 원, 그리고 관리비 5만 원.

친구와 반반으로 계약금을 내기로 한 나는 최소 250만 원의 돈이 필요했다. 하지만 수중에는 채 50만 원도 남아있지 않았다. 그 돈으로 지금 월세방의 월세를 내야 했고 부산까지 이사 할 이사 비용을 지불해야 했다.

신용불량자에다 현재 직장에서 일을 한 지 11개월 밖에 되지 않았기 때문에 은행에서 대출을 받을 수도 없었고 손 벌려 도움을 청할 가족도 없었다.

대부 업체에서 300만 원을 빌렸다. 이자가 29%라고 했다. 그래도 빌려야 했다.

부산으로 이사 갈 그때쯤, 할머니는 큰 고모의 셋방에서 나왔다. 계약기간이 끝나 나왔던 걸로 기억하는데 확실하지는 않다. 또 나는 할머니를 부양할 형편이 되지 못했다. 수중에 돈도 없었고 친구와 자취를 하기로 했기 때문에 할머니와 함께 살 수가 없었다.

내 인생이 변명이었고 내 존재 자체가 수치였다.

고모들 중 제일 형편이 어려웠던 서울에 사는 고모가 할머니를 모시겠다고 했다. 제일 먹고살기 어려웠던 막내 고모가 할머니를 모시겠다고 했다.

그렇게 나는 부산으로, 할머니는 서울로 이사를 했다. 그때는 몰랐다.

다음 기회에
내가 조금 더 돈을 모으고 안정이 되면

전세금이라도 모아서 내가 혼자 살게 되면
그러면 할머니를 모셔야지.
정말 효도해야지.

어리석고 어리석었다.

역겨울 정도로 나는 멍청했다.

조금만 더 돈을 모아서 할머니와 함께 살려고 했다

4. 나의 20대(_3). 나는 비겁한 어른 아이였다.

부산 광안대교가 한눈에 내려다보이는 병원의 소화기내과 암병동에서 근무를 시작했다. 삼 교대 근무였고 한 달에 8일에서 많게는 10일 나이트 근무를 했다. 나이트 오프를 포함해 한 달에 6일을 쉬고 받은 월급은 170만 원 정도.

차지 한 명과 액팅 한 명, 고작 두 명의 간호사가 환자 25명을 돌봐야 했기에 정말로 미친 듯이 바빴다.

가장 꼭대기 층에 있던 12병동은 간호사실에 에어컨이 없었다. 한여름이면 간호사실은 30도를 웃돌았고 컴퓨터에서 나오는 열기까지 더해져 체감은 거의 40도에 가까웠다. 너무 바빠 뛰어다니며 일을 하던 우리에겐 매일이 고역과 같았다. 병원 복도에 에어컨이라도 좀 틀어달라고 그러면 간호사실에도 에어컨 바람이 오니 좀 낫다고 시설실에 사정도 했지만 시설실 사람들은 위에서 내려온 지시라 에어컨을 틀 수 없다고 했다.

일을 하면서 제대로 밥을 먹어본 적이 없었다. 화장실 갈 시간도 없을 정도로 바빴지만 나는 악착같이 붙어있었다. 병원을 그만두고 겪었던 지난날을 떠올리며 내 꿈을 위해 공부를 한다느니, 내가 원하는 삶을 살기 위해 직장을 그만둔다느니 하는 그런 어쭙잖은 이유로 병원을 그만두고 싶지 않았다. 무엇보다 당장 먹고 살 돈을 벌기 위해 일을 할 수밖에 없었다.

사람을 한계까지 몰아붙이는 업무 환경에 나의 성격은 점점 극단적으로 변해갔다. 조금만 건드려도 화가 났고 내 뜻대로 일이 흘러가지 않으면 이성을 잃을 정도로 신경질을 냈다.

간호사라는 직업이 더욱 싫어졌고 월급에 목이 메어 죽기보다 하기 싫은 일을 하고 있는 내가 한심스러웠다.

종종 할머니와 전화 통화를 했다. 병약해진 할머니의 목소리는 매번 나의 가슴을 후벼 팠다. 할머니는 서울의 고모 집에서 그럭저럭 잘 지낸다고 했다. 뇌졸중으로 한쪽 다리와 팔에 힘이 없어 지팡이를 짚고 물리치료도 다니고 병원도 다닌다고 했다.

그래, 조금만 더 돈을 모아서 할머니랑 같이 살아야지.

월급을 받아서 대부 업체에 빌린 돈을 갚고 월세를 내고 휴대폰 요금과 전기세, 관리비, 그리고 생활비까지 하고 나면 수중에 남는 돈이 거의 없었다. 매달 20만 원씩 할머니에게 보내주고 싶었지만 그것도 여의치 않았다. 가끔은 10만 원, 또 어떨 때는 5만 원씩을 보내주었고 아예 돈을 보내주지 못할 때도 많았다.

1년여의 시간이 흐르고 함께 자취를 하던 친구는 다시 진주로 돌아가겠다고 했다. 나는 따로 방을 구해야 했다. 전세금으로 걸었던

250만 원 말고는 통장에 모은 돈이 거의 없었다. 이곳저곳 발품을 팔아서 조금 낡은 건물이었지만 이제껏 살아온 자취방 보다 넓은 방에 조그만 부엌, 작은 샤워실이 있는 원룸으로 계약을 했다.

계약금 500만 원에 월세 35만 원, 그리고 관리비 3만 원.

혼자서 다달이 방값으로만 38만 원을 내야 했기에 부담이 되었지만 그것보다 싼 반전세를 찾는 것이 쉽지가 않았다. 계약금 500만 원을 만들기 위해 또 돈을 빌려야 했다. 반복되는 악순환이었다.

월세가 부담이 되기는 했지만 나는 부산의 그 원룸을 무척이나 좋아했었다. 고등학교 1학년 때부터 혼자 살기 시작하면서 그렇게 큰 방은 처음이었다. 허름한 건물에 노란 장판이 깔린 방, 침대 하나에 책상 하나, 작은 화장대와 TV 하나가 전부였지만 그것들을 모두 다 넣고도 바닥에 사람 하나 누울만한 공간이 있는 그런 큰 방은 처음이었다. 그리고 시멘트 바닥에 신발을 신고 나가야 하는 부엌이 아닌, 화장실과 샤워실을 가기 위해 밖으로 나가지 않아도 되는 그런 자취방은 처음이었다. 그래서 나는 그 월세방을 참 좋아했었다.

그맘때쯤 아빠가 감옥에 갔다는 소식이 들렸다. 아줌마와 갈라서고 난 뒤 다시 마산으로 내려와 여자를 하나 만났는데, 그 여자의 신고로 경찰에 붙잡혔다고 했다. 얼핏 감옥에 들어간 이유가 살인미수라고 했던 것 같은데 확실치는 않다. 여자에게 폭력을 행사했고 때리는 동안 손에 칼을 들고 있었다고 했다.

아빠는 고등학교 때 나를 때리면서 그랬다.

"니 같은 년은 맞아 죽어야 된다. 죽어라!!"

만약, 아빠가 손에 칼을 들고 여자를 때리면서 저 말을 했다면, 충분히 가능했다. 살인 미수죄.

　고모들은 나에게 자세히 말해주지 않았고 나도 알고 싶지 않았다. 할머니는 서울의 고모 집에서 안전하게 지내고 있었고 나도 부산에서 알아서 잘 살고 있으니 더 이상 아빠가 하는 일에 관여할 이유가 없었던 것이다.

　하지만 할머니는 아빠가 감옥에 간 일 때문에 매일 밤을 뜬 눈으로 지새운다고 했다. 밤새 염주를 들고 기도를 한다고 했다. 그렇게 수많은 일을 겪고도, 아빠가 이제껏 저지른 일 때문에 온 집안이 쑥대밭이 됐는데도 할머니는 아빠를 위해 기도를 한다고 했다.

　그런 게 모정이라면...
　그런 게 자식을 향한 어머니의 사랑이라면...
　모정은 아무짝에도 쓸모없는 거구나라고 생각했다.

할머니, 우리 할머니, 어디를 가십니까

5. 나의 20대(_4). 나는 비겁한 어른 아이였다.

부산의 자취방에서 혼자 살기 시작한 지 두 달쯤 지났다.

나이트 근무를 마치고 하루 종일 잠을 자다가 저녁 5시쯤 일어나 휴대폰을 확인하니 부재중 전화가 한통 와 있었다. 할머니였다. 곧장 할머니에게 전화를 걸었다.

"여보시오... 소희가?"

"응, 할매. 내다. 잘 지내나?"

"응... 내는 고마 잘 지낸다. 니는?"

"내도 별일 없다. 아픈 데는 없나?"

"응... 아픈 데 없다..."

"병원은? 잘 다니고?"

"잘 다닌다... 요서 쪼매만 걸어가모 병원도 있고 물리치료도 받을 수 있고... 다 좋다."

할머니는 모든 것이 다 좋다고 했다. 내가 보고 싶다고도 했다. 나도 할머니가 보고 싶다고, 다음 달에 3일 정도 길게 오프를 받을 수 있으면 서울에 한번 올라가겠다고도 했다.

기운이 없는 할머니의 목소리에 가슴이 조여들었다.

전화를 끊고 멍하게 앉아 있었다. 할머니를 마지막으로 본 게 언제인지 기억이 나지 않았다.

할머니가 서울에 올라가기 전인 것 같은데... 언제였지...

다음 달에는 꼭 서울에 한번 올라가야지... 그렇게 다짐을 했다.

다음날, 데이 근무를 마치고 집에서 쉬고 있는데 대구 고모에게서 전화가 왔다. 저녁 8시가 넘은 시각이었다.

그런 느낌이 있다. 뭔가 불길한 일이 일어날 것만 같은, 목덜미가 뻣뻣해지며 머리털이 곤두서는 그런 불길한 느낌. 대구 고모의 전화가 그랬다. 휴대폰 액정 화면에 뜬 '대구 고모'라는 글자에 갑자기 등골이 서늘해졌다.

"여보세요."

"흐으윽.... 소희야 ... 할머니가... 할머니가 돌아가싰다."

고모가 하는 말이 선뜻 이해가 되지 않았다.

"어?"

"할매가... 할매가...돌아가싰단다..."

"뭐... 뭐...라고? 왜? 아니... 내, 내가 어제도 통화를 했는데... 어제도 내가 할매랑 통화를 했는데... 왜? 고모, 지금 무슨 말을 하는 건데?"

대구 고모의 울음소리가 날카롭게 귓속을 찔렀다.

"마산 중리에 있는 청아병원 장례식장으로 오고 있다 카니까... 흐

흑... 니도 얼른 중리로 온나."

"......"

"소희야! 흐윽... 얼른 중리로 온나이! 정신 차리고.... 알긋나?..."

"......"

전화를 끊고 멍하게 핸드폰을 내려다보았다. 양손이 덜덜 떨렸다.

아닐 거야. 아닐 거야. 고모가 잘못 안 걸 거야.

고모가 하는 말을 이해 하고 싶지 않았다. 현실을 부정하고 싶었다. 아니라고, 거짓말하지 말라고 소리치고 싶었다.

어떻게 중리까지 갔는지 기억이 나지 않는다. 가는 버스 안에서 계속 울었다는 것 밖에는...

서울에서 출발한 장의차는 밤 12시가 넘어서 장례식장에 도착했다. 새하얗게 변해 버린 할머니가 영안실로 들어갔다. 달려가서 할머니를 끌어안았다. 목을 놓아 할머니를 불렀지만 할머니는 대답이 없었다.

할매, 할매. 우리 할매.

바닥에 주저앉아 땅을 쳤다.

미련하고 한심했다.

내가 울면 내 눈물을 닦아주던 할머니가, 입맛이 없다며 밥을 먹지 않으면 내가 좋아하는 걸 만들어 어떻게든 뭐라도 먹이려던 할머니가, 장마철이면 하교 시간에 맞춰 국민학교 앞으로 찾아와 감기 걸린다며 내 몸을 투명한 비닐로 꽁꽁 감싸주던 할머니가, 단 하나밖에 없던 나의 가족, 나의 전부였던 할머니가 영안실로 들어갔다.

할머니는 내가 시집가는 걸 보고 가면 원이 없겠다고 했었다. 자신이 보고 가서 할아버지한테 다 말해주겠다고 했었다. 그랬던 할머니가 나의 곁을 떠났다. 서울 고모와 목욕탕을 갔다가 갑자기 심장마비로. 작별 인사도 하지 못한 채 그렇게, 갑자기.

고모들은 할머니의 시신을 화장하기로 했다. 묏자리가 좋지 않다며 계속 말이 많았던 할아버지의 시신도 함께 화장하기로 했다. 선산에서 파온 할아버지의 관이 먼저 화장되었다. 그리고 할머니의 관이 놓였다.

할머니의 관을 붙잡고 미련스러운 눈물을 쏟아냈다.

미안하다고, 아무것도 해준 게 없어서, 제대로 효도 한번 못해서 미안하다고 말했다. 그리고 나를 거두고 키워줘서 고맙다고 말했다.

진작에 말할 것을... 할머니 손을 잡고 사랑한다고, 고맙다고 진작에 말할 것을...

서울 고모가 관위에 할머니의 틀니를 올렸다.

"엄마... 엄마, 틀니 없으면... 밥 못 먹는다 아이가..."

할머니 입에 맞지 않던 틀니, 늘 할머니의 잇몸을 아프게 했던 저 틀니.

고모들은, 삼촌은 저 틀니가 할머니한테 맞지 않는다는 걸 몰랐나? 왜 아무도 틀니를 바꿔주지 않은 거지?

그렇다면... 나는?

나는 알았다.

나는 저 덜렁거리는 틀니 때문에 할머니가 음식을 흘린다는 것도 알았고 할머니 잇몸에서 피가 난다는 것도 알았다.

버러지 같은 년.

천하에 불효막심한 년.

키워준 은혜도 모르는 배은망덕한 년.

유난히도 날이 좋았다. 나비가 날고 들꽃이 천지에 만발한 너무도 화창한 날, 운구차가 진주 시골로 향했다. 할머니의 영정사진을 삼촌 명의 앞으로 되어 있어 은행에 넘어가지 않았던 소 마구간 앞에 놓았다. 평생을 살아온 집을 바로 옆에 두고도 소 마구간 앞에 할머니의 영정 사진이 놓였다. 동네 사람들이 모두 나와 할머니의 마지막 길을 배웅했다.

할머니와 할아버지의 재를 선산에 뿌렸다.

장례식이 끝나고 친척들이 모두 모여 마지막 식사를 함께 했다.

먼저 자리에서 일어나는 나를 향해 서울 고모가 말했다.

"소희야! 필요한 거 있으면 언제든지 전화해라이! 니는 혼자가 아이다!"

그때 깨달았다.

아... 나... 이제 진짜로 혼자구나.

이 세상천지에 기댈 곳 하나 없는 진짜 외톨이구나....

감옥에서 나왔다는 아빠는 할머니 장례식에 오지 않았다. 며칠이 지나고 내 휴대폰으로 삼촌이 전화를 했다. 아빠였다. 술에 취한 아빠는 울면서 나에게 말했다. 사랑한다고. 이제껏 들어본 말 중에 제일 어이없으면서 황당하고 웃긴 말이었다.

치가 떨렸다.

네가 인간이면 할머니, 할아버지 재를 뿌린 선산에 가서 술이라도 한잔 올리고 절이라도 한번 하라고 말해 주었다.

네가 진정 인간이면 말이다.

내가 나를 죽이지 않기 위해 나는 책에 매달렸다

6. 나의 20대(_5). 나는 비겁한 어른 아이였다.

할머니가 돌아가시고 나는 삶의 의미를 상실했다. 더 이상 살아갈 이유도 목적도 없었다.

내 나이 27.

한창 예쁠 그 나이에 나는 매일 죽음을 생각했고 매일 밤 잠을 이루지 못했다.

그렇게 허망하게 할머니를 보내 버린 나를 저주했고 증오했다. 관위에 놓인 할머니의 틀니가 뇌리에 박혀 끊임없이 나를 괴롭혔다. 끝도 없는 죄책감에 내 몸과 마음이 곪아 썩어 들어갔다.

오늘 밤 죽어야겠다.

그렇게 매일 죽겠다는 다짐을 할 때마다 할아버지와 할머니의 모습이 떠올랐다. 커서 훌륭한 사람이 되라던, 좋은 사람 만나서 결혼도 하고 아이도 낳고 부자로 살라던, 내가 행복하게 잘 살기만 하면 원이 없을 거라던 할아버지와 할머니의 모습이 자꾸만 떠올랐다.

지독한 가난 속에서 악착같이 나를 키워낸 두 분의 얼굴이 자꾸만 떠올랐다.

키워준 은혜도 갚지 못했는데 이대로 죽으면 저승에서 무슨 면목으로 할머니, 할아버지 얼굴을 보나...

죽고 싶었지만 죽을 수가 없었다. 두 분에게 너무 죄송해 죽을 수도 없었다. 할머니와 할아버지를 위해서라도 어떻게든 살아내야 했다. 구차한 인생을 이어가야 했다.

죽지 않기 위해, 내가 나를 죽이지 않기 위해 나는 책에 매달렸다. 1년 동안 100권이 넘는 책을 읽었다.

혼자 템플 스테이를 가서 부처님 앞에서 죄를 빌었다. 할머니를 모시지 못한 내 죄를 빌고 또 빌었다. 작가가 되겠다고 병원을 그만두고 재수학원에 들어갔던 내 잘못을, 할머니를 모시지 못했던 내 잘못을 부처님 앞에 무릎 꿇고 빌었다.

내가 어리석었다고, 내가 잘못했다고, 그때 할머니를 모시지 못해서 내가 정말 잘못했다고, 빌고 또 빌었다.

지금 생각해 보면 나는 그때 심각한 우울증에 시달리고 있었다. 밤새 한숨도 자지 못하고 병원에 출근했으며 조그만 일에도 미친 듯이 화를 냈다. 불 꺼진 방에서 혼자 울기도 했고 폭식과 단식을 반복했다.

그렇게 2년째 근근이 목숨을 이어가고 있던 어느 날, 이브닝 근무를 하면서 새로 입원한 환자에게 인신공격적인 욕설을 들었다. 후배 간호사가 깔아준 침대 시트가 마음에 들지 않는다며 차지 간호사였던 나에게 한 시간이 넘도록 욕을 퍼부었다.

"니 엄마가 니 같은 거 놓고 미역국을 먹기나 했나? 이 씨발년아! 니 같은 거 낳아서 엄청 후회했을 끼다!"

술을 많이 마셔서 췌장염에 걸린 알코올 중독의 30대 남자였다. 남자가 나를 향해 욕을 하는 사이 남자와 함께 온 그의 모친은 복도 끝에 서서 떨고 있었다. 딱 봐도 남자를 무서워하고 있었다.

그녀의 모습에서 할머니를 보았다. 장성한 아들을 아직도 돌봐야 하는, 자신의 아들이 어떤 잘못을 저지르고 있는지 두 눈으로 뻔히 지켜보면서도 말 한마디 못하는 그녀의 모습이 어쩌면 할머니와 닮았다 싶었다. 슬펐지만 한심했다. 마음 아팠지만 화가 났다.

다음날 간호부장이 찾아와 내가 전적으로 잘못했다고 했다. 전후 사정을 들어볼 생각도 하지 않고 모두 내 잘못이라고 했다.

그때 정신이 번쩍 들었다.

이곳에 이대로 있다가는 정말로 내가 나를 죽이겠구나. 내 마음도 감당하기 힘든 이 시기에 직장에서까지 이런 대접을 받는다면 정말로 내가 나를 죽이겠구나.

할머니를 그렇게 보낸 나를 증오했고 나 자신을 책망했다. 할머니가 내게 욕을 한다면, 할아버지가 내게 질책을 한다면 달게 받았을 것이다. 하지만 내 잘못도 아닌 일에 모르는 사람에게서 그런 욕을 들을 만한 이유도 없었고 직장 상사에게 그런 대접을 받을 만한 이유 또한 없었다.

내가 나 스스로를 깎아내릴지언정 타인으로부터 그런 부당한 대접을 받아서는 안된다는 생각이 불현듯 들었다.

할머니와 할아버지가 어떻게 키운 손녀딸인데...

없는 살림에 얼마나 애지중지 키워낸 손녀딸인데...

그날 사직서를 내고 서울에 있는 대형병원에 계약직 간호사 모집 공고를 뒤졌다. 닥치는 대로 이력서를 냈다.

일주일 뒤, 서울 아산병원에서 전화가 왔다. 소화기 내시경실에 2달 계약으로 간호사를 구하는데 일하겠냐고 물었다. 2달 계약, 그리고 다음 주 바로 출근이라고 했다.

혈혈단신, 어디 기댈 구석도 없고 아는 사람도 없는 서울로, 2달짜리 계약직 간호사가 되기 위해 부산에서 서울로 이사를 해야 했다. 모은 돈도 별로 없는 데다 2달 뒤에는 어디서, 어떻게 일을 하겠다는 계획도 없었다. 그럼에도 불구하고 나는 하겠다고 했다. 오늘 밤이라도 당장 나를 죽일지도 모르는 그 상황에서 벗어나야 했다. 내가 서 있는 자리와 장소를 바꿔야만 나와 나의 생각이 바뀔 것만 같았다.

그렇게 2012년 5월, 나는 살기 위해 도망치듯 서울로 상경했다.

당시, 나를 지탱해 준 말이 하나 있다.

너를 죽일 수 없는 것이 결국, 너를 더 강하게 할 것이다.
- 프리드리히 니체(Friedrich Nietzsche)

어쩌면 인생은 드라마와 같다

7. 나의 29살, 그리고 30살. 나는 비겁한 어른 아이였다.

29살, 서울로 이사한 나는 급하게 자취방을 구하고 2달 동안 서울 아산병원 내시경실에서 일했다. 새로운 세상에서 나를 모르는 사람들과 함께 하다 보니 괜히 나도 새로 태어난 느낌이 들었다. 간호사로 일한 지 10여 년 만에 간호사라는 직업에 대한 자긍심도 생겨나기 시작했다.

늘 그렇듯 열심히 일했다. 부산에서 삼 교대를 하는 것보다 계약직으로 낮에만 일을 하는데도 월급은 더 많이 받았다.

2달의 계약이 끝나갈 때쯤, 내시경실 간호 과장이 한 달 뒤에 분만휴가 들어가는 간호사가 한 명 있는데 그 자리로 나를 채용하고 싶다고 했다. 내가 일을 열심히 잘한다며 다시 와줄 수 있겠냐고 물었다. 흔쾌히 그러겠다고 했다.

내가 속한 장소만 바꿨을 뿐인데 나는 다른 사람이 되어있었다.

내가 선 자리를 바꿨을 뿐인데 나의 생각이 완전히 달라져 있었다.

쉬는 한 달 동안 부산에서 같이 일했던 친구와 이탈리아를 여행했고 운동을 시작했다. 우울한 생각이 들 때마다 밖으로 나갔다. 수영과 필라테스, 달리기와 요가, 닥치는 대로 운동을 했다.

나의 아픔을 가슴속 깊숙이 짓누르고 새로운 것들로 채워 나갔다. 어떻게든 살아보려고 안간힘을 썼다. 그리고 부산에 있을 때부터 시작한 영어 공부에 박차를 가했다.

미국으로 가면, 미국 간호사가 되면 돈을 많이 번다고 들었다. 한국에서는 더 이상 희망이 없다는 생각에 미국으로 가야겠다고 마음먹고 시작한 영어 공부였다. 친구들의 결혼식을 보며 나는 저런 평범한 결혼은 하지 못할 거란 확신이 들어 시작한 영어 공부이기도 했다.

부모는 이혼했고 아빠는 감옥까지 다녀온 쓰레기 같은 인간이다. 둘도 없던 가족인 할아버지와 할머니마저 돌아가셨다. 그렇다고 어디서 유산을 받아 돈이 많은 것도 아니고 계약직 간호사로 근근이 먹고사는 나 같은 여자를 며느릿감으로 반겨줄 집안은 한국에는 없었다.

미국 사람들은 상대방 집안의 재산이 얼마인지, 결혼 상대 부모의 직업이 무엇인지, 마땅히 해야 하는 혼수나 폐물, 뭐 그딴 걸로 사람을 판단하지 않는다고 들었다.

그런 모든 것을 떠나 돈을 많이 벌고 싶었다. 남자를 만나지 않아도 결혼을 하지 않아도 상관없었다. 할머니가 돌아가시고 난 뒤 나의 아픈 과거가 고스란히 묻어 있는 한국이라는 땅이 너무도 지긋지긋해 미국으로 가자고, 그곳에서 새 삶을 살자고 다짐했다.

출근 전에 새벽 수영을 했고 자존감을 올릴 수 있는 책들만 골라서 읽었다. 할머니, 할아버지가 그리운 만큼 나는 두 분이 바라던 손녀딸의 모습으로 살아야겠다는 생각으로 열심히 일했고 열심히 영어 공부를 했다.

그리고 나는 서른이 되었다.

서른이라는 나이가 주는 압박감과 불안, 우울감을 이겨내고 미국 간호사 학원에 등록했다.

서른 살. 여자로서 엄마의 인생을 이해할 수 있는 나이가 되고 나니 엄마가 어떻게 살고 있는지 궁금했다. 재혼을 한 남자와는 잘 살고 있을까... 서울에서 살고 있다는 말을 고모들에게 얼핏 들은 것도 같은데...

엄마에게 기댈 생각이나 엄마를 귀찮게 할 마음은 없었다. 그저 궁금했다. 아빠 같은 남자에게 시집을 와 얼마나 오랜 시간 아빠의 폭력을 견뎌 냈을까. 첫째 딸이 죽고 난 뒤 엄마는 어떤 마음으로 둘째 딸인 나를 품에 안았을까. 그런 엄마의 인생이 불쌍했다.

나를 버리고 간 엄마를 죽도록 원망한 적도 있었다. 절대 행복하게 살지 말라고, 천벌을 받으라며 엄마를 원망한 적도 있었다. 그런데 나이가 들면서 엄마가 왜 그런 선택을 할 수밖에 없었는지 조금씩 이해가 됐다.

엄마도 살고 싶었을 것이다. 자식까지 버리고 도망갈 정도로 엄마는 견디기 힘들었을지도 모른다. 아빠 같은 남자를 남편이라고 믿고 의지하며 살아야 했을 테니 얼마나 힘들었을까.

어쩌면 인생은 드라마와 같다. 아니, 어쩌면 드라마보다 더 극적이고 잔인한지도 모르겠다.

어느 날, 일을 마치고 자취방으로 돌아오니 현관문에 주인아저씨의 쪽지가 붙어 있었다. 등기가 하나 도착했으니 찾아가라는 쪽지였다.

주인아저씨가 건네준 두툼한 등기에는 법무사 김영 사무소, 밀양시 백민로 xx 길 xx이라는 주소가 적혀 있었다.

'밀양? 거기엔 아는 사람이 없는데... 그리고, 법무사 사무소?'

단 한 번도 불러본 적 없는 그 이름, 엄마

8. 나의 30살, 나는 비겁한 어른 아이였다.

법률 사무소에서 온 등기는 긴 편지 한 장으로 시작되었다.

안녕하십니까. 김영 법률 사무소 실장, 김영수입니다. 밀양시 xxx 길 xxx 의 소유주 허정주 씨의 의뢰로 약 15년 전 마무리 짓지 못했던 토지를 매입하기 위해 연락드립니다. 허정주 씨는 약 15년 전, 귀하의 외조부 천택수 씨로부터 균등하게 상속을 받은 9명의 자녀들 중 8명의 자녀들로부터 토지를 사들였으나, 당시에 연락이 되지 않았던 귀하의 모친 천태영 씨의 소유분은 마무리 짓지 못한 상태였습니다. 15년간 그곳에서 살아온 허정주 씨는 자신이 요양원에 들어가기 전에 본인의 집을 자식에게 상속하고 싶어 합니다. 하지만 귀하의 모친이 소유한 3평으로 인해 상속이 불가능하여 저희 법률 사무소에 의뢰를 하였습니다. 천태영 씨의 사망으로 직계 자녀인 귀하께 상속된 3평의 토지를 매입하기 위해 연락드립니다. 꼭 전화 주십시오.

선뜻 무슨 뜻인지 이해가 되지 않았다.

나에게 상속된 땅 3평?
천태영 씨의 사망으로 직계 자녀인 나에게 상속된?
.....
천태영 씨의 사망으로?

몇 번이나 편지를 읽고 또 읽었다. 떨리는 마음을 진정시키고 함께
동봉된 명함에 적힌 번호로 전화를 했다. 사무소의 실장이라는 남자
는 혼란스러워하는 나를 위해 차근차근 설명을 해주었다.
　나의 외할아버지에겐 9명의 자녀가 있었고, 15년 전 돌아가실 때
작은 집을 9명의 자녀에게 균등하게 나누어 주었다고 했다. 그 집을
허정주라는 할머니가 매입했고 8명의 형제들은 모두 그 몫의 돈을
받고 땅을 판 것이다. 당시 연락이 되지 않았던 엄마만 빼고 말이다.
　엄마 앞으로 있던 땅은 고작 3평 정도라 그 할머니가 사는 동안은
문제가 되지 않았지만 자식에게 상속을 하려니 마무리 짓지 못한 3
평의 땅이 문제가 되어 법무사 사무실을 찾았다는 것이다.
　"제 엄마가 주, 죽었다는 말인가요?"
　"예.... 천태영 씨는 15년 전에 작고하셨습니다."
　엄마가 15년 전에 죽었다고? 내가 15살 때?
　"모, 모르고 계셨습니까?"
　"예... 몰랐어요. 어디선가 잘 살고 있을 거라고만 생각했었는데...."
　"아, 죄송합니다."

아저씨는 한동안 법률적인 이야기를 이어가다 말을 이었다.

"그러면, 어머니와 함께 살았던 남자분은 모르시겠네요?"

내가 11살 때 엄마와 함께 왔던 남자가 떠올랐다. 흐릿해진 기억에 얼굴은 기억나지 않지만 검은 양복을 빼입고 검은 승용차를 끌고 왔던 그 남자....

"예, 몰라요."

"일이 조금 복잡한 게... 소희 씨 어머니와 그 남자분은 사별을 한 사이라 남자분에게도 지분이 넘어가게 되어있습니다. 현재 3평 정도의 작은 땅만 해결하면 되는데 그 남자분과 따님이 모두 동의를 해야지만 땅을 팔 수가 있거든요. 돈은 동일하게 반반씩 받게 될 거고요."

"... 네."

"남자분한테 등기를 먼저 보냈고 며칠 전에 그 남자분이 전화를 했었습니다. 그런데 그분은 따님과 반반으로 나누고 싶어 하질 않더라고요. 자기가 그 돈을 전부 다 가져야 한다고 해서... 좀 골치가 아프게 됐습니다."

그 후로도 한동안 통화는 이어졌다.

심장이 서늘하게 얼어붙었다.

할머니가 돌아가시고 정말 나 혼자라고, 어디 믿을 구석 하나 없이 이 넓은 세상에 오직 나뿐이라고 생각했었다. 그래서 더 독하게 살아남으려고 악착같이 버텼다. 이미 혼자라는 걸 잘 알고 있는데... 이미 기댈 곳 하나 없다는 걸 잘 알고 있는데... 하늘은 내 발등에 쐐기를 박듯 한 번 더 거센 망치질을 했다.

몰랐지? 네 엄마도 15년 전에 죽었어. 어떻게 사나 궁금해했던, 그래도 잘 살았으면 좋겠다 생각했던 네 엄마도 이미 죽고 없어. 너 진짜 아무도 없어. 너 진짜 외톨이야.

그렇게 말하는 것만 같았다.

내가 15살 때, 그러니까 시골집을 찾아오고 겨우 4년 뒤에 엄마는 죽은 것이다. 그런 줄도 모르고 나는 엄마를 죽도록 원망했었다. 제발 행복하게 살지 말아라, 자식을 버리고 간 여자니 천벌을 받아라, 그렇게 엄마를 원망했었다.

법무사 사무실 아저씨와의 통화를 끝내고 한참을 가만히 앉아 있었다.

나 때문에 엄마가 죽었나...

내가 그렇게 모질게 기도를 해서 엄마가 죽었나...

법률 사무소에서 보낸 등기에는 외할아버지로부터 상속을 받은 자식들의 이름과 주소, 전화번호가 순서대로 나열되어 있었다. 단 한 번도 본 적 없지만 나에겐 외삼촌이고 외숙모인 셈이었다.

용기를 내 순서대로 전화를 했다. 없는 번호이거나 전화를 받아도 그런 사람은 없다고 했다. 여덟째였던 엄마를 지나 마지막 남은 9번째 전화번호로 전화를 걸었다.

"여보세요."

여자가 전화를 받았다.

"안녕하세요. 혹시... 천태경 씨 댁인가요?"

"예, 맞는데요. 누구시죠?"

"저는 천태영 씨의 딸, 이소희라고 합니다."

"... 아! 아이고! 자, 잠시만, 잠시만요!"

이윽고 남자가 전화를 받았다.

"안녕하세요. 저는 천태영 씨의 딸, 이소희라고 합니다."

"예, 전화를 할지도 모른다고 생각했습니다. 천태영 씨가 제 누납니다."

나에겐 외삼촌이었다.

한 시간 가까이 통화를 했다. 엄마는 내가 알고 있던 대로 재혼을 해 서울로 이사를 갔다. 그곳에서 4년여를 살았을까, 아파트에 불이 나 온몸에 화상을 입고 병원으로 이송되었다고 했다. 당시 군대에 있던 외삼촌은 부랴부랴 휴가를 나와 급히 병원을 찾았지만 엄마는 얼마 지나지 않아 숨을 거두어 버렸다. 엄마와 재혼을 한 남자를 믿지 못했던 외삼촌은 엄마를 부검할 생각까지 했으나 온몸의 화상으로 부검을 해도 알아낼만한 것이 없을 거라는 소견에 하지 못했다고 했다. 엄마의 장례식에 재혼한 남자는 오지 않았고 외삼촌이 엄마를 화장해 바닷가에 뿌렸다고 했다.

"군대를 가기 전에 누나하고 술을 한 잔 한 적이 있습니다. 그때 딸이 너무 보고 싶다고... 너무 보고 싶은데 면목이 없어서... 너무 미안해서 찾아갈 용기가 안 난다고 말하면서 참 많이 울었습니다."

외삼촌은 그 재혼한 아저씨가 전부 돈을 챙기지 못하도록 하라고 했다. 이 나라의 법이 이상해서 직계 딸이 있는데도 애먼 남자한테 반을 때 줘야 한다며, 그것도 억울한데 전부 다 가지려 한다는 게 말이나 되냐며.

외삼촌에게 그 간의 이야기를 전부 들려줘서 고맙다고 말했다. 외삼촌은 나에게 잘 지내라고, 어디서 살든 건강히 잘 살라고 했다.

그것이 외삼촌과의 처음이자 마지막 통화였다.

전화를 끊자 허망함에 나도 모르게 눈물이 났다. 이제야 엄마의 행복을 빌어줄 수 있는 나이가 됐는데... 이제야 엄마를 이해할 수 있는 나이가 됐는데... 그렇게 떠났으면 행복하게 잘 살지... 엄마의 인생이 불쌍해 눈물이 났다.

엄마는 겨우 35살에 죽었다. 자식을 먼저 보낸 아픔과 남편의 폭력을 견디지 못하고 도망을 쳤다. 갓 태어난 둘째 딸이 눈에 밟혀도 자신이 너무 힘들어서, 살고 싶어서 도망을 쳤다. 새로 만난 남자도 좋은 사람은 아니었던 것 같다. 그리고 너무도 가혹한 사고로 죽은 것이다. 겨우 35살에.

엄마가 행복한 가정을 이루고 살길 진심으로 바랐다. 나도 건강히 잘 살고 있으니 죄책감 같은 거 가질 필요 없다고 말해 주고 싶었었다. 많은 걸 바라지 않았다. 그냥 엄마가 어떻게 살고 있는지만 알고 싶었다. 할아버지, 할머니가 돌아가시고 이 세상과의 연결고리를 잃어버린 나는, 내가 존재하게 된 증거를 확인하고 싶었을 뿐이었다. 내가 이 세상에 존재할 수 있었던 증거. 아빠라는 그 잔인한 인격체 말고 또 다른 증거.

엄마가 어디선가 잘 살고 있다면, 나라는 존재를 기억이라도 한다면 그걸로 족하다고 생각했었다. 하지만 세상은 그마저도 욕심이라고 말하고 있었다. 나를 낭떠러지로 모질게 밀어붙이기만 했다. 떨어지지 않으려고 살아남으려고 그렇게 발버둥 치는 나를... 자꾸만 가혹하게 밀어붙였다.

　서늘하게 텅 빈 마음에 온몸이 시려 눈물이 멈추지 않았다.

　엄마.
　단 한 번도 불러본 적 없는 그 이름,
　엄마.

　불쌍한... 우리 엄마.

내가 선택한 길에서 나의 평생 친구를 만났다

9. 나의 31살, 그리고 32살. 나는 비겁한 어른 아이였다.

법률 사무소에서 엄마 소식까지 듣고 나자 한국을 떠나지 않고서는 안 되겠다는 생각이 들었다. 한 톨의 미련도 남아있지 않았다. 이곳에 더 있다가는 정말로 미쳐버리든지, 자살을 하든지 둘 중에 하나일 거란 생각에 더욱더 열심히 미국 간호사 시험공부를 했다.

1년 3개월 동안 온라인 강의를 듣고 내 나이 31살, 나는 미국 간호사 시험에 합격했다. 이제 이민 절차를 밟으면 되는데 영어가 발목을 잡았다. 근 2년 동안 열심히 한다고는 했지만 아직 미국 병원에 취직할 정도는 아니었다. 영어학원 등록도 했지만 학원비도 부담이 됐고 학원에서 잠깐 한두 시간 배우는 걸로는 부족했다.

여러 군데 검색을 한 뒤, 언어 교환 웹사이트에 가입을 했다. 미국인들 중 한국어를 배우고 싶어 하는 사람들과 만나 서로의 언어를 가르쳐 주는 웹사이트였다. 그곳에서 쪽지를 주고받던 남자 한 명이 직접 만나서 공부를 해보는 게 어떻겠냐고 물었다.

남자와 잠실의 커피숍에서 처음 만났다. 약 4년 전 한국에 왔으며 학원에서 강사로 일한다는 남자는 여느 외국인들처럼 매일 술을 마시고 클럽을 쫓아다니는 사람들과는 결이 달랐다. 술, 담배는 일절 하지 않으며 거의 매일 운동을 한다고 했다. 겉모습과는 달리 긴장을 해 수줍어하는 남자의 모습이 꽤나 귀여웠다.

내가 미국 간호사 시험에 합격했고 현재 이민 준비 때문에 영어 공부를 한다는 걸 알고는 자신이 할 수 있는 한도 내에서 최대한 도와주겠다고 했다.

우리는 거의 매일 연락을 주고받았다. 남자는 문자나 통화를 하다가도 내가 사용하는 어색한 문장이나 틀린 문법 같은 걸 즉석에서 바로잡아 주었고 매주 주말마다 만나 영어 회화 공부도 도와주었다.

자연스레 사이가 가까워졌고 어느샌가 우리는 연인으로 발전해 있었다. 1년 조금 넘게 연애를 했을 때쯤, 남자친구는 크리스마스 동안 미국에 있는 자신의 집에 놀러 가는 게 어떻겠냐고 물었다. 한 번도 미국에 가본 적도 없었고 남자친구의 가족을 만나 본 적도 없어서 긴장도 됐지만 어차피 미국 간호사로 이민을 갈 생각이었으니 예행연습과 같다는 생각으로 여행 계획을 세웠다. 왕복 비행깃값이 300만 원 정도라 조금 부담이 되기는 했지만 남자친구의 가족들을 만나보고도 싶었고 함께 여행도 하고 싶었다.

2015년 크리스마스, 처음으로 미국 땅을 밟았다. 남자친구는 세 명의 형제와 한 명의 누나, 이혼 후 재혼을 한 어머니의 의붓딸 두 명까지 총 7명의 남매 중 넷째였다.

미국에 도착해 제일 먼저 남자친구의 아버지 집으로 향했다.

아버지의 형제 두 명과 그들의 배우자와 자식들, 남자친구의 남매들도 대부분 결혼을 해서 그 배우자들까지 모두 모여 거의 30여 명의 사람들이 우리를 반겨주었다.

다음날 남자친구의 어머니 댁으로 향하니 총 11명의 남매가 있다는 어머니의 일가친척들이 한자리에 모여 약 100여 명의 사람들과 인사를 나누었다.

이제껏 그렇게 큰 대가족을 만나본 적이 없었다. 외동으로 외롭게 살아온 나에겐 신선한 충격이었다.

남자친구의 가족들을 만나며 미국에 대한 선입견도 많이 깨어졌다. 미국은 가족들 사이에 교류도 별로 없고 개인주의적일 거라는 근거 없는 선입견이 있었는데 그런 편견이 완전히 깨어진 것이다. 서로를 아끼고 사랑하는 것이 그냥 눈으로 보였다. 굳이 말하지 않아도 남자친구가 얼마나 사랑을 많이 받고 자란 사람인지 그의 가족들을 만나며 알 수 있었다.

미국에서 지내는 일주일 동안 가족들은 어색해 하는 나를 살뜰히도 챙겨주었다. 같이 식사를 하고 게임을 하고 선물을 주고받았다. 특히나 남자친구의 아버지와 어머니는 자신의 아들이 데려온 여자를 향한 뻔한 질문, 즉 우리가 결혼을 전제로 만나는 것인지, 만약 그렇다면 결혼은 언제쯤 생각하고 있는지, 결혼을 하게 된다면 혼수나 폐물은 어떻게 할 것인지, 내 부모의 직업이나 부모의 재력, 현재 내가 모은 재산 같은, 그런 뻔한 질문 따윈 하지 않았다. 그들은 나의 직업과 나의 성격, 취미나 좋아하는 책, 남자친구와 여가시간에 무엇을 하는지, 어디를 함께 여행했는지 등을 더 궁금해했다.

즐거웠고 행복했다. 남자친구의 말대로 미네소타의 겨울이 너무도 추웠지만 그래도 즐거웠다.

여행 후, 남자친구의 어머니에게 비행깃값 320만 원을 보내야 했다. 미국에서 비행기표를 사면 조금 더 저렴하게 살 수 있다고 해서 남자친구의 어머니가 우리 비행기표를 구매해 줬기 때문이었다.

인생이 드라마보다 더 극적이라고 내가 말했던가?

미국으로 돈을 보내기 며칠 전, 밀양의 법무사 사무실에서 전화가 왔다. 지난 2년 동안 엄마와 재혼을 한 남자가 동의를 해주지 않아 밀양의 땅 3평을 계속 팔지 못하고 있었는데 그 남자가 마침내 동의를 했다는 것이었다. 필요한 서류를 보낼 테니 서류에 인감도장을 찍고 사인을 한 뒤 빠른 등기로 다시 보내주면 된다고 했다. 돈은 남자와 내가 정확히 반반 나누어 받을 것이라고 했다.

그렇게 받은 돈, 350만 원.

나는 그 돈을 남자친구의 어머니에게 보내는 데 썼다.

엄마가 내게 남긴 돈으로 나는 미국을 여행하고 온 것이다. 일종의 신호 같다는 생각이 들었다.

엄마가 내게 말하는 것만 같았다.

이곳에서 너무 힘들었으니 멀리 떠나서 행복하게 살라고. 이곳에 미련 따위 두지 말고 네가 살고 싶은 곳에서, 네가 하고 싶은 일을 하며 살라고. 그리고 남자친구의 집에 다녀오길 정말 잘했다고, 좋은 사람 같으니 잘 만나보라고 그렇게 나에게 말하는 것만 같았다.

미국 여행을 다녀오고 몇 주 뒤, 우리가 제일 처음 만났던 곳, 처음 만나 같이 산책을 했던 잠실 한강 공원에서 남자친구는 한쪽 무릎을 꿇고 내게 프러포즈를 했다. 너무 긴장한 나머지 반지 케이스를 거꾸로 열어 든 남자친구가 양손을 떨며 "Will you marry me?"라고 물었다. 청승맞게 하염없이 눈물이 흘렀다. 나는 "Yes."라고 대답했다.

2016년 1월 30일이었다.

굽이진 길을 돌아 자신에게 와줘서 고맙다고 했다
10. 나의 33살. 나는 비겁한 어른 아이였다.

청혼을 받고 난 뒤 약혼자와 나는 살림을 합쳤다. 내가 지내던 풍납동의 자취방이 월세도 쌌고 크기도 조금 더 컸기에 내 자취방으로 약혼자가 이사를 들어왔다. 그 후 웨딩 업체와 만나 여러 날짜를 조율하다 그해 10월 2일로 날을 잡았다.

결혼을 결심하고 나니 나도 약혼자에게 내 가족들을 소개해 줘야한다는 생각이 들었다. 그가 두리뭉실하게 나의 가족사를 알고는 있었지만 막상 소개를 시켜줘야 한다 생각하니 지레 겁이 났다. 그렇게 화목한 집안에서 자란 남자가 내 실상과 마주하고 난 뒤 실망하면 어떡하지...

마땅히 만날 가족이라고는 없었고 친척들뿐이었다. 마산 중리에 사는 숙모에게 전화를 해 부탁을 하니 숙모는 흔쾌히 내 약혼자를 위해 식사를 준비하겠다고 했다.

그냥 삼촌과 숙모, 사촌 동생들과 간단히 저녁식사 한 끼만 했어도 괜찮았을 것을 괜히 구색을 맞춰야 한다는 생각에 고모들에게도 일일이 전화를 했다. 미국에서 약혼자의 가족들에게 극진한 대접을 받고 돌아왔으니 나도 그렇게 북적거리는 환대를 선물하고 싶었던 것이다.

서울 고모를 제외하고 모두 식사 자리에 온다고 했다. 날짜와 시간이 정해지자 대구 고모가 나에게 전화를 했다. 아빠가 마산에서 지내고 있는데 나를 만나보고 싶어 한다는 것이었다.

지난 10년 동안 단 한 번도 아빠와 연락한 적이 없었다. 내 전화번호를 고모들이 아빠에게 알려주지 않았기 때문에 아빠한테서 전화가 오는 일도 없었다.

"아빠가 인테리어 일을 배워가꼬 이제는 마음잡고 일도 하고 돈도 벌고 그란단다. 그래도 자식이라고는 니 하난데 니가 결혼할 남자는 한번 만나봐야 안 되긋나? 옛날에 같이 살던 그 여자하고 딸내미 하고는 아예 연락도 안 되고... 이제 니 하나뿐인데. 그라지 말고 아빠한테도 니 약혼자 소개해 주라."

"......"

"니 약혼자가 보기에도 그렇다. 아빠가 있는데 소개도 안 해주고 그라모 보기가 좀 그렇다 아이가."

죽기보다 아빠 얼굴이 보기 싫었다. 하지만 대구 고모의 말도 일리가 있다는 생각이 들었다. 당시의 나는 내 마음이 어떤지, 내가 무엇을 원하는지 보다 약혼자가 어떻게 생각할지, 약혼자의 눈에 내 가족이 어떻게 비칠지에 더 신경을 썼다.

뿌리 깊은 열등감에 없는 것을 억지로 쥐어 짜내 어떻게든 온전해 보이고 싶었던 비루하고 가엾은 헛된 몸부림이었다. 내 현실을 어떻게든 들키지 않으려는 없는 자의 볼품없고 애처로운 빈 껍데기 허세였다.

토요일 오후, 중리에 도착하니 숙모는 상다리가 휘어질 정도로 많은 음식을 준비해 놓고 우리를 기다리고 있었다. 이내 고모와 고모부들이 도착하고 한국말을 하지 못하는 약혼자는 손짓 발짓으로 그들과 인사를 나누었다. 말은 통하지 않았지만 충분히 흥겨웠고 얼핏 화목해 보이기도 했다.

식사가 시작되고 분위기가 무르익어갈 때쯤, 아빠가 도착했다. 날카로운 칼날이 심장을 관통하는 듯한 분노가 일었지만 애써 표정을 감췄다. 약혼자와 인사를 나누는 아빠를 향해 나도 웃으며 간단히 인사를 했다. 철저하게 표정을 숨겼다. 겨우 식사 한 끼였다. 굳이 얼굴을 붉힐 필요도 없었고 괜히 분위기를 어색하게 할 필요도 없다고 생각했다.

아빠와 고모들도 오랜만에 만난 것인지 한동안 술잔이 오고 갔다. 식사가 끝나고 숙모가 후식으로 먹자며 약혼자가 사 온 과일 바구니를 들고나왔다. 사과를 깎는 나를 보고 아빠가 말했다.

"저 봐라. 엄마 없이 커가꼬 과일도 제대로 못 깎는다!"

짜증이 났지만 약혼자가 바로 옆에 앉아 있어 그냥 웃어넘겼다.

상 건너편에 앉아서 나를 가만히 바라보던 큰 고모가 맥주잔에 소주를 들이부으며 말했다.

"할매가 니 똥 기저귀 갈아주면서 업어서 안 키았나! 니 알제? 그걸 까무모 안된다. 절대로 까무모 안된다 이 말이다. 할매하고 할배

하고 니 키운다꼬 얼마나 고생을 했는데!"

좋은 말도 한두 번이면 족하다. 굳이 말하지 않아도 잘 알고 있는 사실을 큰 고모는 나를 볼 때마다 끊임없이 반복해서 상기시켰다.

맥주잔에 든 소주를 원샷으로 들이켠 큰 고모가 갑자기 울기 시작했다.

"아이고... 아이고... 엄마."

대구 고모가 큰 고모를 말렸다.

"언니야, 고마해라. 지나간 일 이야기해 봤자 뭐 하긋노. 고마해라."

이미 만취한 큰 고모는 다른 사람의 이야기는 들리지 않는 듯했다.

"엄마, 아부지가 우짜다가 그리 돌아가시는데?! 전부 다 오빠 때문이다! 오빠 때문에 평생을 고생만 하시다가 가셨지! 장남이 돼가 집안을 풍비박산을 내는 것도 모자라서 엄마, 아부지까지 그리 돌아가시게 만들고!! 오빠가 그래도 인간이가?!!"

큰 고모는 계속해서 아빠를 향해 소리를 지르며 맥주잔에 소주를 따라 마셨다. 점점 험악해지는 분위기에 모두들 그만하라고 했지만 큰 고모는 멈추지 않았다. 처음엔 그래도 참는 듯하더니 아니나 다를까 아빠도 큰 고모를 향해 고함을 지르고 욕을 해대기 시작했다.

한국말을 모르는 데다 술도 마시지 않은 약혼자는 갑작스러운 상황에 몹시도 당황해했다.

싸움이 점차 과격해지자 화가 난 숙모가 소리를 질렀다.

"그만 좀 하이소!! 소희 신랑 될 사람 앞에서 부끄럽지도 않습니꺼? 나가이소! 전부 다 내 집에서 나가이소!!"

삼촌과 숙모가 모두를 데리고 나가고 사촌 동생 둘과 약혼자, 그리고 나만 남았다. 너무 창피해서 어딘가로 숨고 싶다는 마음뿐이었다.

아무 말 없이 내 손을 움켜쥔 약혼자가 나지막이 물었다.

[너 괜찮아?]

내가 묻고 싶은 말이었다. 내 가족을 만나본 소감이 어떻냐고, 정말 나랑 결혼해서 살 수 있겠냐고, 저런 사람들이 내 가족이고 친척인데 너는 정말 괜찮냐고, 내가 묻고 싶은 말이었다.

내가 미국에 가서 어떤 대접을 받고 왔는데... 그렇게까지 극진한 대접은 못해준다 해도 숙모가 정성스럽게 준비한 음식으로 당신을 우리의 가족으로 맞이하게 돼서 기쁘다고 말해주고 싶었고 친척들 모두 온 마음을 다해 당신을 환영한다는 걸 보여주고 싶었을 뿐이었다.

그저 식사 한 끼였다. 그 간단한 식사 한 끼도 정상적으로 할 수 없는 것이 나의 가족이고 나의 친척이라는 걸 보여주고 싶었던 게 아니었다.

그는 아무 말도 못 하고 우는 나를 꼭 끌어안아주었다.

[정말 괜찮아? 지금이라도 서울 갈래? 네가 너무 힘들면 지금 바로 집에 가자.]

미안하다고 부끄럽다고 말하는 내게, 네가 초래하지 않은 상황을 왜 네가 미안해하고 부끄러워하냐고 했다. 그리곤 계속해서 내가 괜찮은지를 물었다.

그는 진심으로 나를 걱정하고 있었다. 금방 일어났던 일들에 기분

나빠할 법도 한데, 실망할 법도 한데, 그는 오롯이 내 마음이 어떤지, 내가 괜찮은지만 신경 쓰고 있었다.

　이런 남자가 어떻게 나에게 왔을까...

　그 일 이후 약혼자는 수시로 나에게 이렇게 말했다.

　[소피, 그렇게 힘든 가정환경에서 너처럼 열심히 살아온 사람도 드물 거야. 지금 너를 봐, 얼마나 훌륭하게 잘 컸어? 너는 너 스스로를 좀 더 자랑스럽게 여겨야 해. 내가 너를 그 누구보다 자랑스러워하는 것처럼 말이야.]

　그는 내가 살아온 배경으로 나를 판단하지 않았다. 오히려 그런 상황 속에서 살아남은 내가 대단하다고, 그 굽이진 길을 돌아 자신에게 와줘서 고맙다고 말했다.

　할아버지, 할머니가 보내 준 사람이라는 생각이 들었다. 많이 외로웠던 나를 위해 이렇게 속이 깊고 자상한 사람을 보내 준 거라는 생각이 들었다.

우리는 서로의 눈물을 닦아주며 부부가 되었다

11. 나의 33살, 그리고 34살. 나는 비겁한 어른 아이였다.

약혼자와 나는 부모님의 도움 없이 각자 모은 돈을 정확하게 반반 합쳐서 간소한 결혼식을 하기로 했다. 작은 야외 예식장을 잡고 약혼자의 양복과 내 웨딩드레스를 맞췄다. 웨딩 촬영은 굳이 그런 인위적인 사진을 비싼 돈 주고 찍을 필요가 있나 싶어서 하지 않았고 대신에 그 돈으로 결혼식 영상 제작을 해주는 사람을 고용하기로 했다.

결혼 준비로 8개월이란 시간이 쏜살같이 흘렀다.

결혼식 일주일 전, 약혼자의 가족들이 미국에서 속속들이 도착했다. 총 13명의 가족들이 2주 정도의 휴가를 내고 멀리 한국까지 온 것이다. 작년 크리스마스 때 만났던 사람도 있었고 처음 보는 사람도 있었다. 그들과 매일 서울 이곳저곳을 돌아다니며 시간을 보냈다. 다들 너무나 즐거워했고 특히나 한국 음식을 무척이나 좋아했다.

그날도 아침 일찍 약혼자와 그들이 지내는 숙소로 가려는데 아빠에게서 전화가 왔다.

결혼식에 아빠를 초대할 생각이 없었던 나는 아예 아빠에게 결혼 날짜와 장소 같은 걸 알려주지도 않았었는데 결혼식을 몇 달 앞두고 대구 고모가 나를 설득했다. 그래도 아빤데, 하나 있는 딸의 결혼식에도 못 가는 게 말이 되냐며 도리에 어긋난다고 했다. 시댁 식구들 보기에도 안 좋다며 계속해서 나를 설득한 것이다.

대구 고모의 말이라 냉정하게 거절하지 못했다. 대구 고모 덕에 고등학교도 대학교도 마칠 수 있었고, 그래서 간호사도 됐기에 매정하게 고모가 하는 말이 틀리다고, 그렇게 하기 싫다고 말하지 못했다. 마지못해 아빠를 초대할 수밖에 없었고 대구 고모가 아빠에게 내 휴대폰 번호를 알려준 것이었다.

통화 거절 버튼을 누르고 현관문을 나서려는데 또 전화가 왔다. 지렁이가 기어가듯 뱃속이 기분 나쁘게 꿈틀댔다. 또 쓸데없는 말이나 하겠거니 싶어 빨리 끝내 버리자는 마음에 전화를 받았다.

"왜?"

"니는 결혼식이 일주일 밖에 안 남았는데 우찌 전화도 한통 안 하노?"

"내가 전화할 이유가 있나?"

"결혼할 때가 되모 딸들이 키워줘서 고맙다꼬 아빠한테 좋은 양복도 사주고 신발도 사주고 그란다 카드만. 니는 우찌 내한테 양복 한 벌 안 사주노? 제대로 된 양복도 한 벌 없는데 내는 뭘 입고 가라꼬?"

코가 막히고 귀가 막혔다. 하도 어이가 없어서 웃음이 났다.

"키워줘서 고맙다고? 누가 누굴 키워줬는데? 내 결혼식에 초대할

마음 애초에 없었으니까 입을 양복 없으면 오지 마라. 안 오면 내가
더 고맙지!!"

"말하는 싸가지 봐라! 키워줘도 아무 소용 없다 카드만 딱 그 말이
맞네!!"

"뭐라고? 키워줘도 아무 소용 없다고? 누가 날 키웠는데? 할아버
지랑 할매가 날 키웠지! 내가 아빠한테 양복 사줄 일은 죽었다 깨어
나도 없을 테니까 제발 오지 마라!"

그대로 전화를 끊어 버렸다. 어떻게 이렇게 최악일 수가 있나, 어
떻게.

약혼자의 가족들과 시간을 보내다 보니 빠르게 일주일이 지났다.

결혼식 당일, 전날까지 화창했던 날씨가 아침부터 비가 오락가락
하더니 결혼식 한 시간 전부터는 비바람이 몰아치기 시작했다. 당장
실내로 장소를 옮겨야 하나 식장 측과 의논도 했지만 이미 세팅이 다
된 것들을 실내로 옮기는 것은 불가능하다며 최대한 비를 맞지 않도
록 캐노피를 높게 쳐주겠다고 했다. 속상했지만 어쩔 수 없었다. 비
를 맞고 결혼하는 것도 나름 멋있을 거란 생각에 그냥 즐기기로 했다.

친척들과 친구들, 직장동료들이 하나 둘 도착해 신랑과 인사를 나
누었고 기어코 나타난 아빠도 신랑의 가족들과 인사를 주고받았다.

결혼식이 시작되고 신랑이 먼저 입장했다. 신랑은 감격에 겨워 입
장을 하면서부터 눈물을 흘렸다.

"다음은 신부 입장이 있겠습니다. 모두 자리에서 일어나 주십시
오."

식장에 모인 모든 사람들이 자리에서 일어나 나를 향해 돌아섰다. 멀리 눈시울이 붉어진 신랑이 나를 기다리고 있었다.

나는 그 누구의 손도 잡지 않고 혼자서 입장했다.

할아버지, 할머니가 있었다면 두 분의 손을 잡고 입장했을 것이다. 두 분이 없는 이상 그 누구와도 함께 입장하고 싶지 않았다. 아빠가 식장에 오기는 했지만 아빠의 손을 잡고 입장할 이유가 없었을 뿐 아니라, 아버지가 없는 사람들이 흔히들 하는 작은 아버지나 고모부의 손을 잡고 입장하는 것도 하기 싫었다.

내가 이렇게 잘 자란 것은 온전히 할머니와 할아버지 덕분이었다. 두 분의 사랑으로 예쁘고 반듯하게 자라 나를 기다리고 있는 남자에게 걸어가는데 두 분 말고는 그 누구의 손도 필요하지 않다고 생각했다. 나는 할아버지와 할머니의 자랑스러운 손녀딸이니, 내 행복을 향해 나 혼자 당당히 걸어가도 괜찮다고 생각했다.

결혼식에서 신부가 우는 것처럼 보기 흉한 꼴이 없다고, 절대 울지 말아야지 다짐을 했지만 발걸음을 옮길 때마다 자꾸만 할머니와 할아버지 얼굴이 떠올라 감정이 북받쳤다.

두 분은 내가 결혼하는 걸 보고 죽으면 원이 없을 거라고 늘 말했었다.

얼마나 기뻐하셨을까. 얼마나 자랑스러워하셨을까.

비바람이 몰아치는 날, 신랑과 나는 서로의 눈물을 닦아 주며 부부
가 되었다.

2016년 10월 2일이었다.

이민 봉투를 가슴에 안고 미국행 편도 비행기에 올랐다

12. 나의 34살. 나는 비겁한 어른 아이였다.

결혼식 다음날, 나는 시댁 식구들에게 한식집에서 저녁 식사를 대접했다. 일이 바빠 멀리서 온 신랑의 가족들에게 식사도 한 끼 대접하지 못해 미안해하던 아빠가 나에게 돈을 주며 부탁을 했다고 거짓말을 했다. 이미 무언가 눈치를 챈듯한 시어머니는 나에게 무리하지 말라고 했다. 혼자서 부담하기엔 식사 값이 비싸다는 이유였지만 나는 정말로 아빠가 돈을 줬다고 잡아 뗐다. 그런 기본적인 예의와 도리도 모르는 인간이 내 혈육이라는 걸, 그런 사람이 내 아빠라는 걸 들키고 싶지 않았다.

내 결혼식에 아빠는 천 원 한 장 보태지 않았다. 자신이 입을 양복을 사달라던 아빠는 시댁 식구들에게 최소한의 성의는 보이라는 내 성화에 못 이겨 시아버지와 시어머니에게 선물할 정관장 홍삼세트를 사 온 것이 전부였다. 그걸 사는데도 나에게 돈을 보내라고 한참을

255

실랑이를 했었다.

아빠를 결혼식에 초대한 것을 오랫동안 후회했었다. 시댁 식구들에게 내 속을 훤히 드러내 보인 것만 같아 창피했다. 그런 나에게 신랑이 말했다.

[소피, 후회하는 네 마음을 이해 못 하는 건 아닌데 내 생각은 너랑 좀 달라. 나는 네가 할 수 있는 최대한 우아한 방법으로 복수를 한 거라고 생각해.]

[내가 복수를 한 거라고?]

[응. 생각해 봐. 결혼식에 네 아빠를 초대했음에도 불구하고 너는 너 혼자 입장을 했어. 보란 듯이 말이야. 아빠 때문에 그렇게 힘든 어린 시절과 사춘기를 보냈음에도 할머니와 할아버지 덕분에 너무 잘 자라서 나를 향해 당당하게 혼자 걸어왔잖아. '아빠가 무슨 짓을 하더라도 절대 나를 무너뜨릴 수 없어'라고 말하는 것처럼 말이야.]

[.....]

[네 아빠가 너를 버렸을지는 몰라도 나와 내 가족들에겐 달라. 우리는 너를 너무 사랑하고 너를 우리 가족으로 맞이할 수 있어서 행운이라고 생각하고 있어. 우리의 결혼식을 축하하기 위해서, 너를 가족의 일원으로 환영하기 위해서 지구 반대편에서 만사를 제쳐두고 날아올 정도로 너를 반겼잖아. 그러니까 후회하지 마. 가장 고상하고 우아한 방법으로 복수했다 생각하고 잊어버려.]

단 한 번도 그렇게 생각해 본 적이 없었다. 신랑의 말에 우리의 결혼식이 다른 색의 옷을 입기 시작했다.

수많은 책에서 용서가 최고의 미덕이며 용기가 있는 사람만이 용서를 할 수 있다고 말한다. 그 사람을 위해서가 아니라 나 스스로를 위해 용서하라고, 그것이 삶을 살아가는 지혜라고들 말한다. 그런 책을 읽을 때마다 과연 나는 아빠를 용서할 수 있을까 되묻곤 했다. 솔직히 용서 못 하겠다. 속이 좁아터져서, 지혜라고는 눈곱만큼도 없어서, 소위 말하는 성인군자가 아니라서 용서 못 하겠다. 그렇다고 여전히 화가 나는 것도 아니다. 그냥 아빠를 생각하면 별다른 생각이 없고 별다른 감정이 느껴지지 않는다고 할까. 내 삶과 내가 사랑하는 사람들에게 집중하다 보니 나와 상관없는 사람에게 낭비할 감정 따윈 없다고 말하는 것이 더 정확한 표현인지도 모르겠다.

2017년 새해가 밝고 우리는 이민 준비에 들어갔다. 복잡한 절차에 따라 필요한 서류를 준비하고 불필요한 물건들을 하나 둘 처분했다. 3월 초, 학원의 계약이 끝나 이민 전까지 일을 하지 않았던 신랑은 매일 내 퇴근시간에 맞춰 버스정류장으로 마중을 나왔다. 가끔 병원으로 꽃도 보내주고 내가 먹고 싶은 것이 있다고 하면 멀리까지 가서 사 오기도 했다.

나는 4월 말까지 일을 했다. 그 후 출국 전까지 한 달여의 시간 동안 신랑과 사촌 동생 둘과 함께 제주도를 여행했고 결혼식 후 미국에서 온 가족들 때문에 가지 못했던 신혼여행도 다녀왔다. 매일 친구들을 만나며 마지막 작별 인사도 했다.

지긋지긋하다고, 너무 힘들어서 더는 한국에 못 있겠다고 결심한 이민이었지만 막상 출국 날짜가 다가오니 마음이 싱숭생숭했다. 미국 간호사를 공부하며 한껏 높아진 기대감도 불안감에 떠밀려 맥을 추리지 못했다. 제멋대로 날뛰는 감정에 뜬금없이 횡단보도를 지나

다가 울기도 했고 식당에서 밥을 먹다가 김치가 너무 맛있다며 대성 통곡을 해 신랑을 당황스럽게 만들기도 했다.

출국 전날, 우리가 살던 작은 자취방의 계약이 끝났다. 한국 휴대폰을 해지하고 인천공항 옆의 호텔로 향하는 공항버스에 올랐다.

만감이 교차했다. 정말로 가는구나, 내가 태어나고 자란 나라를 정말로 떠나는구나, 이렇게 떠나는 게 맞나, 내가 잘못된 선택을 한 건 아닐까, 내가 생각하던 것과 미국에서의 삶이 너무도 다르면 더 힘들면 어쩌지.

겁이 났다. 확신도 들지 않았다.

그럼에도 불구하고 나는 내가 원하는 삶을 살기 위해 앞으로 나아가야 한다고 생각했다. 할아버지와 할머니의 기대에 어긋나지 않도록 내 삶을 더욱 열심히 살아야 한다고 생각했다.

다음날 노란 이민 봉투를 가슴에 안고 미국행 편도 비행기에 올랐다. 내가 사랑하는 나의 평생지기 친구, 든든한 신랑과 함께 말이다.

2017년 5월 31일이었다.

에필로그

나의 이야기가 끝났다.

<나는 버림받은 아이였다>와 <나는 엇나가는 아이였다> 그리고 <나는 비겁한 어른 아이였다>까지. 참 길게도 주절주절 쓴 것 같아 부끄럽기도 하고 이렇게나 많은 이야기를 그동안 가슴속에 담아두고 살았나 싶어 조금은 놀라기도 했다.

내가 나의 어린 시절을 글로 쓰리라고는 생각하지 못했다. 가족들조차도 정말 가까운 친구들조차도 나의 어린 시절에 대해 잘 알지 못한다. 특히나 나의 고등학교 시절은.

글을 쓰기로 결심하면서 중학교, 고등학교 때 썼던 일기장을 다시 꺼내 읽었다. 매일이 고통이었고 슬픔이었으며 분노와 증오였다.

글을 쓰면서 많이 울었다. 쏟아붓듯 글을 쓰고 토해 내듯 목을 놓아 울었다. 그렇게 하소연하듯 글을 쓰며 갓 돌이 지난 어린 나를, 삼촌이라 부르지 않는다며 머리를 쥐어 박히던 7살의 나를, 아빠의 주먹질에 소리를 지르던 17살의 나를 있는 힘껏 안아주었다.

지극히 주관적인 나의 기억에 의지해 글을 썼기 때문에 사실과 다른 부분도 많이 있을 것이다. 글을 다 쓰고 보니 내가 중증 근무력증으로 병원에 입원을 했던 것이 고등학교 2학년 때가 아니라 1학년 때였던 것도 같다. 아빠에게 맞고 난 뒤 증상이 발현되어 병원에 입원을 했고 고등학교 2학년 때까지 약을 먹다가 할머니를 향한 아빠의 폭력을 마주하고 증상이 악화되어 다시 병원을 찾았던 것 같다. 그리고 친구 어머니가 운영하는 복어 식당을 방문했을 때, 턱이 찢어진 친구를 따라 병원에 갔었던 것 같기도 하고 아닌 것 같기도 하다.

벌써 20년이 넘은 일이라 정확히 기억나지 않는 것들이 많았는데, 그런 것들은 내 일기장에 의지해 써 내려갔다. 내 기억과 사실이 다르다고 누군가 따지고 든다면 할 말은 없다. 하지만 이것은 어디까지나 나의 기억이고 내가 쓰는 일기이다.

신랑은 나의 어린 시절을 두리뭉실하고 알고 있었다. 부모 없이 할머니, 할아버지 밑에서 자랐고 아빠라는 사람이 폭력적인데다 돈을 물 쓰듯 사람이었다는 것. 그리고 15살(만 나이를 제외한 것이다) 부터 자취를 시작했으며 어렸을 때 매우 가난했었다는 것 정도.

글을 쓰기로 마음먹고 제일 먼저 신랑에게 약 한 시간에 걸쳐 나의 어린 시절을 세세하게 들려주었다. 이야기를 다 들은 신랑은 몹시도 힘들어했다. 우리 가족을 만나기 전에 그 일들을 자세히 알았더라면 더 좋았겠지만 그동안 말하지 못했던 것을 전적으로 이해한다고 했다.

어렸을 때는 너무 가난해서 고기를 자주 사 먹지 못했다는 것과 아빠가 나를 죽일 듯이 때리고 난 다음날 혼자 수육을 사 와서 먹었는데 그때 그 수육이 너무 먹고 싶었다고 하자, 신랑은 그날 저녁으로 스테이크를 구워 먹자고 했다. 이제는 고기 사 먹을 돈이 넉넉하니 그래도 된다며 애써 장난스레 말하는 신랑과 마주 보고 한참을 웃었다.

그 시절 이야기를 하며 이렇게 웃는 날이 오다니.
그 시절 이야기를 듣고 온 마음을 다해 안아주는 사람이 내 곁에 있다니. 얼마나 감사한 일인가.

내가 글을 쓰기로 결심한 이유는 오직 하나였다. 누구를 원망하겠다는 것도 아니었고 나의 과거를 후회하며 자책하기 위한 것도 아니었다. 글의 힘을 믿기 때문에 나의 어린 시절을 글로 써보자고 결심했다.

글을 쓰며 지난날의 나를 찬찬히, 그리고 아주 세심하게 돌아 보았다. 그때의 나의 생각들, 그때 내가 느꼈던 날것 그대로의 감정들, 어떨 때는 너무 아파서 울기도 했고 어떨 때는 너무 한심해서 스스로 모멸감을 느끼기도 했다.

그럼에도 불구하고 나는 글을 썼다.

나의 어린 시절과 젊은 시절을 지탱해 준 책 속의 문장 하나, 단어 하나를 되새기며 나의 글이 누군가에겐 그들의 삶을 지탱해 줄 문장 하나가 될 수도 있고 단어 하나가 될 수도 있다는 생각에 정성을 다해 글을 썼다.

내 글을 혹시나 가난과 가정폭력에 힘들어하는 10대의 어린 친구들이 본다면, 우울과 자책, 자기혐오로 생을 이어갈 힘을 잃어가는 20대의 젊은 친구들이 본다면, 삶의 방향성, 살아가는 목적과 이유를 자꾸만 자문하게 되는 30대와 40대의 어른 아이들이 본다면, 자각하지 못하는 사이 나이가 들어 허무함을 느끼는 50대 이상의 어른인 척 애쓰는 사람들이 본다면,

그 사람들에게 말하고 싶었다.

그럼에도 불구하고, 당신의 삶은 가치 있는 것이라고.
그럼에도 불구하고, 당신은 사랑받을 자격이 충분한 사람이라고.
그럼에도 불구하고, 당신의 삶을 절대로 포기해서는 안 된다고.

자책도 후회도 모두 품고 당당히 걸어가자고.
미래의 나는 지금의 나를 뒤돌아보며 후회하지 않도록.
미래의 내가 지금의 나를 뒤돌아보며 자랑스러워할 수 있도록.

조금은 특별한 성장기를 가진 내가 당신의 삶을 조금이나마 위로할 수 있었다면, 특히나 나의 과거를 현재로 살고 있는 10대, 20대의 어린 친구들이 나의 글로 용기와 희망을 품을 수만 있다면 나는 내가 글을 쓴 목적을 달성한 셈이다.
과거의 내가 모여 현재의 내가 되었다. 고통과 좌절, 분노와 슬픔, 자책과 연민, 그 속에서 내가 할 수 있는 최선의 선택을 했고 그 모든 선택들이 모여 지금의 내가 되었다.

나는 글의 힘을 믿는다. 글을 읽는 사람들의 감정 변화와 공감, 그 후에 찾아오는 자아성찰과 사유의 힘을 믿는다.

나의 글이 당신의 마음속에 작은 씨앗으로 남았으면 좋겠다. 그 희망과 용기의 씨앗을 품고 앞으로 나아갈 당신의 삶을, 나는 온 마음을 다해 응원하겠다.

저의 긴 이야기를 들어 주셔서 감사합니다.

"

할아버지, 할머니.

저는 잘 지내고 있습니다.

좋은 사람 만나 결혼도 하고

예쁜 강아지도 두 마리 키우면서

행복하게 잘 살고 있어요.

늘 그립고 보고 싶습니다.

저를 거두고 사랑으로 키워 주셔서

정말 감사합니다.

극락에서 늘 평안하시길,

손녀 딸이 두 손 모아 기도합니다.

사랑합니다.

"

버림받은 아이

발 행 │ 2024-05-22
저 자 │ Sophi Perich
펴낸이 │ 한건희
펴낸곳 │ 주식회사 부크크
출판사등록 │ 2014.07.15(제2014-16호)
주 소 │ 서울 금천구 가산디지털1로 119, A동 305호
전 화 │ 1670 - 8316
이메일 │ info@bookk.co.kr
ISBN │ 979-11-4108-621-3
본 책은 브런치 POD 출판물입니다.
https://brunch.co.kr

www.bookk.co.kr